Wok & cuisine asiatique

p

© Copyright 2000
pour l'édition originale

Parragon
Queen Street House
4 Queen Street
Bath BA1 1HE, Royaume-Uni

Copyright © Parragon 2004 pour l'édition française

Réalisation : InTexte Édition

ISBN: 1-40543-452-x

Imprimé en Chine
Printed in China

Note

Une cuillerée à soupe correspond à 15 à 20 g d'ingrédients secs
et à 15 ml d'ingrédients liquides. Une cuillerée à café correspond
à 3 à 5 g d'ingrédients secs et à 5 ml d'ingrédients liquides. Sans
autre précision, le lait est entier, les œufs sont de taille moyenne
et le poivre est du poivre noir fraîchement moulu.

Sommaire

Introduction

Le wok est un instrument de base de la cuisine orientale. Avec lui, vous pourrez réaliser toute une série de plats savoureux. Si vous n'en possédez pas et souhaitez essayer les merveilleuses recettes qui suivent, nous vous conseillons d'en acquérir un plutôt que d'utiliser une poêle à frire.

En principe, un wok est un récipient convexe assez profond en forme de saladier. Il est en métal et possède, soit un long manche en bois, soit deux poignées rondes. On trouve de nombreuses tailles, la plus appropriée à une cuisine familiale étant de 30 à 35 cm de diamètre. Le wok peut être en acier inoxydable, en cuivre ou en fonte, sachant que la fonte a l'avantage de mieux conserver la chaleur, surtout si elle est bien sèche. La forme convexe du wok permet de remuer et de faire sauter facilement les aliments afin de les cuire beaucoup plus rapidement. Par ailleurs, le récipient peut aisément être incliné et tourné au besoin pour accéder à tous les aliments.

Grâce aux parois courbes du wok, la chaleur monte et entretient ainsi une température régulière. Ce principe, idéal pour la cuisine sautée ou rapide, permet de réaliser des économies d'énergie. Enfin, le nettoyage ne pose aucun problème puisque le wok ne possède ni coins ni bordures dans lesquels les aliments pourraient former des dépôts.

MATÉRIEL UTILE

Plusieurs ustensiles sont indispensables à la cuisine au wok. L'un des plus importants est l'anneau, composé généralement d'une bague de métal perforée aux côtés en biseau permettant de réduire les pertes de chaleur : le wok, placé au centre, cuit de manière bien plus régulière que s'il était simplement posé sur une plaque électrique. Une spatule à long manche, ensuite, est utile pour cuire et retirer les aliments car son extrémité courbe épouse la forme du wok. Veiller à en choisir une munie d'une poignée en bois qui isolera de la chaleur.

Si le wok sert surtout à faire revenir, il peut aussi être utilisé pour frire ou cuire à la vapeur. Une écumoire ou un panier métallique peu profond permet de retirer les aliments de la graisse et les égoutter, et un panier à étuver et son support transforment le wok en bain-marie.

Enfin, un couvercle est indispensable à certaines préparations. Il doit être de forme galbée et parfaitement ajusté pour garder toutes les saveurs pendant une cuisson à la vapeur. La plupart des woks sont vendus avec tous ces ustensiles - essentiels à sa bonne exploitation.

MODE D'EMPLOI

Avant d'utiliser le wok, il faut le graisser. Pour cela, passer un morceau de papier absorbant huilé à l'intérieur et à l'extérieur, puis le chauffer fortement au four ou sur une plaque de cuisson, le retirer du feu et le laisser refroidir ;

répéter l'opération plusieurs fois. Cela facilitera le nettoyage et le dotera d'un revêtement antiadhésif. Après ce graissage, on peut laver le wok au savon et à l'eau et, s'il est en fonte, il faut le sécher immédiatement pour prévenir toute apparition de rouille. Mais, il suffit en général de nettoyer le wok avec un linge humide ; il peut alors noircir avec l'usage : on dit que plus un wok est noir, meilleure est la cuisine, car c'est le signe qu'on l'utilise souvent.

CUISINE SAUTÉE

Le plus souvent, un wok sert à faire sauter les aliments. Ce mode de cuisson originaire de Chine et ensuite répandu dans tout l'Est asiatique, reste la forme la plus connue de la cuisine chinoise. Elle est appelée Ch'au, ce qui signifie qu'un ou plusieurs ingrédients sont coupés en fines tranches régulières, cuits dans 1 ou 2 cuillerées à soupe de graisse puis mélangés avec divers assaisonnements ou sauces, à l'aide de longues baguettes de bambou ou d'une spatule.

Une telle méthode de cuisson se déroule en plusieurs étapes : les ingrédients dont le temps de cuisson est le plus long peuvent être sautés, retirés du wok et remis ultérieurement, ce qui permet aux saveurs individuelles de se développer séparément. On utilise généralement de l'huile d'arachide ou de maïs pour frire les aliments mais de la graisse d'oie ou du saindoux conviennent parfois mieux à des saveurs plus délicates.

On distingue différentes méthodes de cuisson : Liu désigne le fait de retourner les aliments plutôt que de les remuer vigoureusement. On peut ajouter en fin de cuisson de la maïzena, du bouillon, du sucre, du vinaigre et de la sauce de soja pour obtenir une délicieuse sauce qui enrobe les aliments.

Pao, ou « explosion » désigne une friture très rapide à feu très vif, ne dépassant généralement pas 1 minute. Les aliments cuits de cette manière ont été la plupart du temps préalablement marinés pour les rendre plus savoureux et plus tendres.

LE WOK DANS LE MONDE

En Extrême-Orient, le wok est utilisé sous de nombreuses formes. En Inde, on préfère une large poêle, ou karahi, placée sur l'orifice d'un four et utilisée pour braiser comme pour frire – le célèbre curry, ou karahi, doit son nom à ce récipient proche du wok. En Indonésie, le wok, ou wajan, est posé sur un foyer de bois et sert à cuire les currys, les plats de riz et les sautés rapides – une méthode qu'on retrouve au Japon, en Thaïlande, à Singapour et en Malaisie. Enfin, même le barbecue mongolien – simple plaque de fer convexe – ressemble au wok.

On le voit, la cuisine sautée au wok est propre à la gastronomie asiatique. Sa grande variété et son caractère rapide, léger et sain font son unité. Les recettes qui suivent constituent autant d'étapes d'un fabuleux voyage en Extrême-Orient et réunissent soupes, hors-d'œuvre, viandes et volailles, des plats de poisson étonnants, des plats végétariens, sans oublier bien sûr le riz et les nouilles. C'est à une véritable fête des saveurs que nous vous convions, alors, à votre wok !

En Occident, le terme de cuisine chinoise est souvent employé comme un terme générique, comme si la cuisine était la même dans tout le pays. Or, la Chine est un très vaste pays aux climats et aux topographies très différents qui sont, dans le domaine de la gastronomie, à l'origine de spécificités régionales.

Les recettes de cet ouvrage sont appréciées aussi bien en Chine qu'en Occident. Originaires du Sichuan à l'ouest, de Canton au sud, de Pékin au nord ou de Shanghai à l'est, elles offrent un éventail d'arômes et de savoir-faire différents : du plus épicé au plus délicat des mets à base de légumes et de poisson en passant par les plats aigres-doux, le riz, les nouilles et les desserts.

L'un des aspects privilégiés de la cuisine chinoise est la texture. Les légumes doivent rester croquants tandis que le riz et les nouilles doivent être préparés comme les pâtes et rester fermes une fois cuits. Certains aliments qui ont peu de goût et que l'on utilise beaucoup, comme le tofu et les pousses de bambou, sont surtout choisis pour leur consistance.

Bien que les Chinois utilisent beaucoup d'aliments frais, ils emploient également des produits séchés ou déshydratés, en particulier les champignons, le tofu, les nouilles et les épices.

MODES DE CUISSON

Les Chinois combinent souvent deux modes de cuisson distincts dans la préparation d'un plat – la cuisson à la vapeur et la friture par exemple, ou bien la friture d'ingrédients déjà rôtis – mais leur cuisine ne nécessite que peu d'équipement spécifique.

La cuisson à la vapeur est particulièrement répandue. Il est de tradition d'utiliser des paniers à étuver en bambou, que l'on peut empiler les uns sur les autres pour y faire cuire tout le repas en même temps. En règle générale, on place le riz en bas puis on empile les aliments, en commençant par celui qui nécessite la cuisson la plus longue. Si vous n'avez pas de panier à étuver, retournez une assiette au fond d'une grande casserole que vous couvrirez de papier d'aluminium ou d'un couvercle. Remplissez-la au tiers d'eau bouillante. Il faudra peut-être en rajouter pendant la cuisson, bien que pour la plupart des plats la cuisson soit très rapide. La vapeur est un mode de cuisson très sain, qui permet de ne pas ajouter de matière grasse et qui conserve toute la saveur des aliments.

Pour faire revenir les aliments, on utilise souvent un wok, qui doit être préchauffé. Il faut alors remuer constamment des aliments coupés en petits morceaux afin qu'ils entrent tous en contact avec le wok et cuisent vite. Certains aliments peuvent être cuits par petites fournées puis retirés du feu. Cela permet de conserver intacte la saveur des aliments. Les ingrédients qui composent le plat sont réunis dans le wok en fin de cuisson et sont éventuellement agrémentés de sauce, pendant ou à la fin de la cuisson, suivant la région dont est originaire la recette. L'huile d'arachide est souvent utilisée pour la cuisson au wok, mais elle peut très bien être remplacée par une autre huile.

La friture se fait aussi dans un wok, ce qui permet d'utiliser moins d'huile qu'avec une friteuse. Sa forme permet à l'huile de s'écouler des aliments vers le centre du wok. Les aliments sont souvent marinés ou trempés dans une pâte légère. Un dernier mode de cuisson consiste à saisir les aliments en les faisant frire d'un seul côté (les nouilles par exemple) ou en ne les tournant qu'une fois dans le wok, et à les servir coupés en tranches.

QUELQUES INGRÉDIENTS ASIATIQUES UTILES

Les pousses de bambou *Elles ont peu de saveur et sont utilisées pour leur consistance. Disponibles en boîte, elles sont très répandues dans la cuisine chinoise.*

Les germes de soja *Aussi appelés pousses de haricots mungo, ils sont très nutritifs et ont une haute teneur en vitamines. Ils donnent une texture croquante mais il faut faire attention de ne pas trop les cuire, ils flétriraient et ne pourraient plus donner de consistance.*

Les haricots noirs *Il s'agit d'une variété de soja très salé. Vous pouvez les acheter entiers puis les écraser avant de les rincer ou les acheter sous forme de sauce prête à l'emploi pour plus de facilité.*

Les haricots chinois *Ces haricots allongés très tendres peuvent être consommés entiers, vous pouvez les remplacer par des haricots verts.*

La poudre de cinq-épices *Un mélange de cannelle, de clous de girofle, d'anis étoilé, de fenouil et de poivre noir qui entre souvent dans la composition des marinades.*

Les bettes *Un légume feuillu, vert clair, au goût doux. Vous pouvez vous en procurer dans la plupart des supermarchés.*

La sauce hoisin *Une sauce brune, épaisse et sucrée, que l'on peut se procurer facilement. Préparée à base d'épices, de sauce de soja, d'ail et de piment, on la sert souvent pour y tremper divers mets.*

Les litchis *Ils sont très faciles à préparer, n'hésitez pas à les acheter frais. Sous la peau non comestible se trouve une chair blanche des plus savoureuses. Ils sont aussi vendus en boîte et sont l'un des ingrédients de base de la cuisine chinoise.*

Les mangues *Choisissez-les bien mûres pour qu'elles soient sucrées et parfumées. Si elles sont trop vertes, laissez-les au soleil quelques jours.*

Les nouilles *Les Asiatiques utilisent diverses variétés de nouilles. Pour plus de facilité, utilisez des nouilles sèches, telles que les nouilles aux œufs, de couleur jaune, les nouilles de riz, blanches, et les vermicelles transparents qui sont opaques et deviennent transparents à la cuisson. Vous pouvez aussi trouver des nouilles fraîches dans les épiceries asiatiques.*

La sauce d'huître *Très facile à trouver, cette sauce brune est préparée à base d'huîtres, de sel, de condiments et de maïzena.*

Le pak-choi *Légume à feuille vert foncé, il possède un goût délicat et légèrement amer.*

Le vinaigre de riz *Ce vinaigre doux et sucré est disponible dans certains supermarchés. Si vous n'en trouvez pas, remplacez-le par du vinaigre de cidre.*

L'alcool de riz *Ressemblant au xérès sec par sa couleur, sa teneur en alcool et son parfum, il a un goût très particulier et il vaut la peine de s'en procurer.*

L'huile de sésame *Résultant du pressage des graines de sésame grillées, elle est connue pour son arôme intense. Elle brûle facilement et elle est utilisée en fin de cuisson pour donner du goût, jamais en friture.*

La sauce de soja *Bien que toute une gamme de sauces de soja soit disponible, vous ne regretterez pas l'achat d'une sauce de qualité. Il en existe deux variétés, l'une claire et l'autre épaisse. La plus claire, au goût plus léger, est utilisée avec le poisson et les légumes alors que la seconde, plus riche, sombre, salée et au goût intense est servie en accompagnement de plats déjà forts.*

L'anis étoilé *Une gousse en forme d'étoile à huit branches avec un fort goût anisé. On trouve aussi cette épice en poudre. Si vous utilisez une graine entière dans un plat, n'oubliez pas de la jeter avant de servir.*

Le poivre du Sichuan *Très épicé et piquant, il est préférable de l'utiliser en petites quantités. Ce poivre de couleur rouge est très facile à se procurer.*

Le tofu *Cette pâte de soja existe sous des formes diverses. C'est la variété vendue en pains, plus spongieuse et molle et de couleur ivoire que nous utilisons dans cet ouvrage. Le tofu a très peu de goût mais ajoute de la texture et s'imprègne des autres saveurs du plat.*

Les châtaignes d'eau *Plates et rondes, elles sont souvent vendues en boîte, déjà pelées. Elles ajoutent une touche croquante aux plats et un goût délicatement sucré.*

Les haricots jaunes *Une autre variété de soja, très salée également. Préférez des graines rugueuses à celles plus lisses.*

Soupes & hors-d'œuvre

La soupe est un plat indispensable en Asie.
En Chine, en Malaisie et en Thaïlande, la soupe de poulet
est parfois même servie au petit déjeuner ! Le plus souvent
cependant, elle est servie au milieu du repas pour nettoyer
le palais. Elle ne tient jamais lieu d'entrée comme
en Occident. Il existe une multitude de soupes savoureuses,
plus ou moins épaisses, sans oublier les soupes claires,
dans lesquelles baignent souvent des wontons ou des raviolis.
Au Japon, elles constituent de délicates compositions
de poisson, viande et légumes dans un bouillon clair.

Les hors-d'œuvre sont généralement des aliments plus secs,
comme les rouleaux de printemps, déclinés sous diverses
formes dans tout l'Extrême-Orient. Le satay, quant à lui,
est servi en Indonésie, en Malaisie et en Thaïlande.
On trouve également bon nombre d'autres petits délices
enveloppés de pâtes, de pain ou de feuilles de riz,
ou piqués sur des brochettes pour pouvoir être dégustés
plus facilement. Comme les soupes, ils sont généralement
proposés en plat principal dans leurs pays d'origine
mais tiennent lieu d'entrée dans les restaurants
les plus occidentalisés.

Ce chapitre présente de délicieuses recettes de soupes
et de hors-d'œuvre, parfaits pour commencer un repas
et ouvrir l'appétit.

Soupe de nouilles épicée au poulet

4 personnes

INGRÉDIENTS

2 cuil. à soupe de pâte de tamarin	2 cuil. à soupe de sucre de palme	100 g de mini-épis de maïs,
4 piments rouges thaïlandais,	ou de sucre	coupés en deux
finement hachés	8 feuilles de lime, ciselées	3 cuil. à soupe de coriandre fraîche
2 gousses d'ail, hachées	1,2 l de bouillon de poulet	grossièrement hachée
1 morceau de gingembre thaïlandais	350 g de blanc de poulet, désossé	100 g de tomates cerises,
de 2,5 cm, épluché	100 g de carottes, coupées en rondelles	coupées en deux
et finement haché	350 g de patates douces,	150 g de nouilles de riz plates
4 cuil. à soupe de sauce de poisson	coupées en dés	coriandre fraîche hachée, en garniture

1 Mettre le gingembre, la pâte de tamarin, les piments, la sauce de poisson, le sucre, les feuilles de lime l'ail et le bouillon dans un grand wok préchauffé et porter à ébullition en remuant. Réduire le feu et cuire 5 minutes.

2 Ajouter le poulet coupé en tranches fines et cuire 5 minutes en remuant.

3 Réduire le feu, ajouter les carottes, les patates douces et les mini-épis de maïs. Cuire à feu doux sans couvrir 5 minutes, jusqu'à ce que les légumes soient tendres et le poulet parfaitement cuit.

4 Ajouter la coriandre, les tomates cerises et les nouilles, et mélanger. Cuire la soupe à feu doux 5 minutes, jusqu'à ce que les nouilles soient tendres. Garnir et servir chaud.

CONSEIL

La pâte de tamarin confère une couleur brune et une saveur forte et piquante aux soupes et aux jus de viande. Si vous n'en trouvez pas, diluez de la mélasse, du sucre ou de la mélasse raffinée dans du jus de citron vert.

Soupe de nouilles au crabe et maïs doux

4 personnes

INGRÉDIENTS

1 cuil. à soupe d'huile de tournesol	6 oignons verts, ébarbés et émincés	1,7 l de fumet de poisson
1 cuil. à café de poudre	150 g de maïs en boîte ou surgelé	3 cuil. à soupe de sauce de soja
de cinq-épices	1 piment rouge, épépiné	2 boîtes de 200 g de chair
225 g de carottes, en julienne	et finement émincé	de crabe blanche
75 g de petits pois	175 g de nouilles aux œufs	

1 Chauffer l'huile de tournesol dans un grand wok préchauffé.

2 Mettre la poudre de cinq épices, les carottes, le maïs, les petits pois, les oignons et le piment, et faire revenir 5 minutes.

3 Ajouter la chair de crabe et faire revenir 1 minute.

4 Casser grossièrement les nouilles aux œufs et les ajouter au mélange.

5 Verser le fumet de poisson et la sauce de soja sur le mélange du wok, porter à ébullition, couvrir et cuire à feu doux 5 minutes.

6 Verser dans des bols chauds et servir.

CONSEIL

Utilisez des nouilles aux œufs fines pour obtenir un meilleur résultat.

CONSEIL

La poudre de cinq-épices est un mélange de fenouil, de clous de girofle, de cannelle, d'anis étoilé et de poivre du Sichuan.

Soupe thaïe épicée aux crevettes

4 personnes

INGRÉDIENTS

2 cuil. à soupe de pâte de tamarin	2 cuil. à soupe de sucre de palme	225 g de crevettes roses (bouquets)
4 piments rouges thaïlandais, finement hachés	ou de sucre	100 g de mini-épis de maïs, coupés en deux
2 gousses d'ail, hachées	8 feuilles de lime, ciselées	3 cuil. à soupe de coriandre fraîche, grossièrement hachée
1 morceau de gingembre thaïlandais de 2,5 cm, épluché et finement haché	1,2 l de fumet de poisson	100 g de tomates cerises, coupées en deux
4 cuil. à soupe de sauce de poisson	100 g de carottes, coupées en fines rondelles	
	350 g de patates douces, coupées en dés	

1 Mettre le gingembre, la pâte de tamarin, les piments, la sauce de poisson, le sucre, les feuilles de lime l'ail et le bouillon dans un grand wok et porter à ébullition en remuant.

2 Réduire le feu. Ajouter les carottes, les patates douces et les épis de maïs.

3 Cuire la soupe à feu doux sans couvrir 10 minutes, les légumes doivent être tendres.

4 Ajouter en remuant la coriandre, les tomates cerises et les crevettes, et chauffer 5 minutes.

5 Verser dans des bols chauds et servir.

CONSEIL

Les mini-épis de maïs possèdent un parfum et une saveur doux. Vous les trouverez frais ou en boîte.

CONSEIL

Le gingembre thaïlandais ou galangal est jaune avec des germes roses. Son goût est aromatique et moins piquant que le gingembre traditionnel.

Soupe à la noix de coco et au crabe

4 personnes

INGRÉDIENTS

1 cuil. à soupe d'huile d'arachide	600 ml de lait de coco	225 g de pinces de crabe fraîches
2 cuil. à soupe de pâte de curry rouge	2 cuil. à soupe de sauce de poisson	ou surgelées
thaïe	225 g de chair de crabe blanc	2 cuil. à soupe de coriandre fraîche
1 poivron rouge, épépiné et coupé	en boîte ou fraîche	ciselée
en lanières	600 ml de fumet de poisson	3 oignons verts, ébarbés et émincés

1 Chauffer l'huile dans un grand wok préchauffé.

2 Faire revenir la pâte de curry rouge et le poivron 1 minute.

3 Ajouter le lait de coco, le fumet de poisson et la sauce de poisson, et porter à ébullition.

4 Ajouter la chair et les pinces de crabe, la coriandre et les oignons, bien mélanger le tout et chauffer à feu très vif 2 à 3 minutes.

5 Verser la soupe dans des bols chauds et servir immédiatement.

CONSEIL

Le lait de coco ajoute une saveur douce et crémeuse à ce plat. On le trouve sous forme de poudre ou tout prêt en boîte.

CONSEIL

Après chaque utilisation, lavez le wok à l'eau avec un détergent doux si besoin et un chiffon ou une brosse douce. N'utilisez pas de produit abrasif car cela en rayerait la surface. Séchez avec des serviettes en papier ou sur feu doux et enduisez toute la surface d'un peu d'huile afin de former une couche étanche qui protège le wok de l'humidité et prévient l'apparition de rouille.

Soupe de poisson pimentée

4 personnes

INGRÉDIENTS

15 g de champignons chinois séchés	3 cuil. à soupe de sauce au piment douce	2 cuil. à soupe de coriandre fraîche
2 cuil. à soupe d'huile de tournesol	1,2 l de fumet de poisson ou de bouillon de légumes	450 g de filet de cabillaud, sans la peau et coupé en cubes
1 oignon, émincé		
100 g de pois mange-tout	3 cuil. à soupe de sauce de soja claire	
100 g de pousses de bambou		

1 Mettre les champignons dans une grande terrine, recouvrir d'eau bouillante et laisser tremper 5 minutes. Égoutter et couper grossièrement à l'aide d'un couteau tranchant.

2 Chauffer l'huile de tournesol dans un wok préchauffé et faire revenir l'oignon 5 minutes, jusqu'à ce qu'il soit tendre.

3 Ajouter les pois, les pousses de bambou, la sauce au piment, le bouillon et la sauce de soja, et porter à ébullition.

4 Ajouter la coriandre et les cubes de poisson. Cuire à feu doux 5 minutes, jusqu'à ce que le poisson soit bien cuit.

5 Verser la soupe dans des bols chauds, garnir éventuellement d'un peu de coriandre et servir chaud.

VARIANTE

Pour un repas de luxe, remplacez ce poisson blanc à chair ferme par de la queue de lotte.

CONSEIL

Il existe de nombreuses variétés de champignons séchés mais les meilleurs sont les shiitake. Ils sont assez chers mais on les utilise en petite quantité.

Soupe de champignons aigre et piquante

4 personnes

INGRÉDIENTS

2 cuil. à soupe de pâte de tamarin

4 piments rouges thaïlandais, finement hachés

2 gousses d'ail, hachées

1 morceau de gingembre thaïlandais de 2,5 cm, épluché et finement haché

4 cuil. à soupe de sauce de poisson

2 cuil. à soupe de sucre de palme ou de sucre

8 feuilles de lime, ciselées

1,2 l de bouillon de légumes

100 g de carottes, coupées en fines rondelles

350 g de chou blanc, coupé en lanières

225 g de champignons de Paris, coupés en deux

100 g de haricots verts fins, coupés en deux

3 cuil. à soupe de coriandre fraîche, grossièrement hachée

100 g de tomates cerises, coupées en deux

1 Mettre la pâte de tamarin, les piments, l'ail, le gingembre, la sauce de poisson, le sucre de palme, les feuilles de lime et le bouillon dans un grand wok préchauffé et porter à ébullition en remuant.

2 Réduire le feu, ajouter les carottes, les haricots verts, les champignons et le chou, et cuire à feu doux sans couvrir 10 minutes, jusqu'à ce que les légumes soient tendres.

3 Ajouter en remuant la coriandre et les tomates cerises, et chauffer 5 minutes.

4 Verser la soupe dans des bols chauds et servir.

CONSEIL

Le tamarin est l'un des ingrédients qui donne à la cuisine thaïe son goût aigre-doux typique.

VARIANTE

Vous pouvez remplacer le chou blanc par du chou chinois pour un goût plus doux. Ajoutez le chou chinois avec la coriandre et les tomates cerises à l'étape 3.

Soupe de wontons au poulet

4 à 6 personnes

INGRÉDIENTS

FARCE

350 g de poulet, coupé en lanières

1 cuil. à soupe de sauce de soja

1 cuil. à café de gingembre frais râpé

1 gousse d'ail, hachée

2 cuil. à soupe de xérès

2 oignons verts, hachés

1 cuil. à café d'huile de sésame

1 blanc d'œuf

1/2 cuil. à café de maïzena

1/2 cuil. à café de sucre

environ 35 carrés de pâte à wonton

SOUPE

1,5 l de bouillon de poulet

1 cuil. à soupe de sauce de soja claire

1 oignon vert, émincé

1 petite carotte, en julienne

1 Dans une grande terrine, mélanger tous les ingrédients de la farce.

2 Disposer une cuillerée de farce au centre de chaque carré de pâte à wonton.

3 Humidifier les bords de la pâte et les replier de manière à former un ravioli.

4 Porter les raviolis à ébullition 1 minute jusqu'à ce qu'ils remontent à la surface.

5 Les retirer à l'aide d'une écumoire et réserver. Porter le bouillon de poulet à ébullition.

6 Ajouter la sauce de soja, l'oignon vert, la carotte et les wontons dans la soupe. Laisser frémir 2 minutes et servir.

VARIANTE

Vous pouvez remplacer le poulet par du porc haché.

CONSEIL

Vous pouvez préparer une double quantité de wontons et congeler le surplus en séparant les carrés par une feuille de papier sulfurisé. Glissez le tout dans un sac de congélation. Décongelez-les bien avant de les utiliser.

Consommé de poulet aux œufs pochés

4 personnes

INGRÉDIENTS

1 cuil. à café de sel	125 g de brocoli, en fleurettes	1 trait de sauce au piment
1 cuil. à soupe de vinaigre de riz	125 g de poulet cuit, coupé	poudre de piment, pour décorer
4 œufs	en lanières	
850 ml de bouillon de poulet	2 champignons de couche, émincés	
1 poireau, émincé	1 cuil. à soupe de xérès sec	

1 Porter un grand fait-tout d'eau à ébullition, ajouter le sel et le vinaigre de riz. Réduire le feu jusqu'à ce que le bouillon frémisse et casser délicatement les œufs un par un dans l'eau. Les faire pocher 1 minute. Retirer les œufs pochés à l'aide d'une écumoire et réserver.

2 Dans un autre fait-tout, porter le bouillon à ébullition, ajouter le poireau, le brocoli, le poulet, les champignons et le xérès et la sauce au piment. Cuire 10 à 15 minutes.

3 Incorporer les œufs pochés dans la soupe et cuire 2 minutes. Verser délicatement la soupe et les œufs pochés dans 4 bols, saupoudrer de poudre de piment et servir.

VARIANTE

Si vous le désirez, vous pouvez remplacer le poulet par 125 g de chair de crabe fraîche ou en boîte ou par 125 g de crevettes cuites fraîches ou surgelées.

CONSEIL

Vous pouvez remplacer les champignons de couche par des champignons chinois déshydratés en suivant les instructions figurant sur leur emballage.

Soupe au curry de poulet et de maïs

4 personnes

INGRÉDIENTS

175 g de maïs en boîte, égoutté	1 cuil. à café de poudre	3 cuil. à soupe de sauce
850 ml de bouillon de poulet	de curry chinois	de soja claire
350 g de filets de poulet cuits,	1 morceau de gingembre frais	
coupés en lanières	de 1 cm, râpé	
16 mini-épis de maïs	2 cuil. à soupe de ciboulette hachée	

1 Dans un robot de cuisine, mixer le maïs avec 150 ml de bouillon jusqu'à obtention d'une purée homogène.

2 Passer la purée obtenue au chinois en pressant avec le dos d'une cuillère pour écraser les grumeaux.

3 Verser le reste du bouillon dans un grand fait-tout et ajouter le poulet. Incorporer la purée de maïs.

4 Ajouter les épis de maïs et porter la soupe à ébullition. Laisser bouillir 10 minutes.

5 Ajouter la poudre de curry, le gingembre et la sauce de soja, cuire 10 à 15 minutes, ajouter la ciboulette et mélanger.

6 Verser la soupe dans des bols chauds et servir.

CONSEIL

Vous pouvez préparer la soupe jusqu'à 24 heures à l'avance sans y incorporer le poulet. Laissez refroidir, couvrez et réfrigérez. Vous n'aurez plus qu'à ajouter le poulet et à réchauffer la soupe.

Soupe aigre-piquante

4 personnes

INGRÉDIENTS

2 cuil. à soupe de maïzena	1 œuf	850 ml de bouillon de poulet
4 cuil. à soupe d'eau	1 petit piment rouge frais,	ou de bœuf
2 cuil. à soupe de sauce	finement émincé	50 g de blanc de poulet
de soja claire	2 cuil. à soupe d'huile	sans la peau et coupé
3 cuil. à soupe de vinaigre de riz	1 oignon, haché	en fines lanières
1/2 cuil. à café de poivre noir moulu	1 gros champignon de Paris, émincé	1 cuil. à café d'huile de sésame

1 Dans une terrine, délayer la maïzena dans l'eau jusqu'à obtention d'une pâte homogène. Ajouter la sauce de soja, le vinaigre, le poivre et le piment, et mélanger.

2 Casser l'œuf dans une terrine et le battre ferme.

3 Verser l'huile dans un wok préchauffé et faire revenir l'oignon 2 minutes.

4 Ajouter le champignon, le bouillon et le poulet, et porter à ébullition. Cuire 15 minutes, jusqu'à ce que la viande soit tendre.

5 Ajouter petit à petit la pâte à base de maïzena en remuant, jusqu'à ce que la soupe épaississe et se lie.

6 Incorporer l'œuf petit à petit, sans cesser de remuer, pour qu'il forme des filaments.

7 Ajouter quelques gouttes d'huile de sésame et servir.

CONSEIL

Veillez à incorporer l'œuf très doucement et sans cesser de remuer pour que se forment des filament et non de gros morceaux d'œuf cuit.

Soupe de canard à la pékinoise

4 personnes

INGRÉDIENTS

125 g de filet de canard

225 g de feuilles de chou chinois

850 ml de bouillon de poulet
ou de canard

2 gousses d'ail, hachées

1 cuil. à soupe de xérès sec
ou de vin de riz

1 cuil. à soupe de sauce
de soja claire

1 cuil. à café d'huile de sésame

1 pincée d'anis étoilé en poudre

1 cuil. à soupe de graines
de sésame

1 cuil. à soupe de persil frais ciselé

1 Enlever la peau du canard et découper la chair en fines lamelles.

2 À l'aide d'un couteau tranchant, ciseler les feuilles de chou chinois.

3 Verser le bouillon dans un grand fait-tout, et porter à ébullition.

4 Ajouter le xérès ou le vin de riz, la sauce de soja, le canard et les feuilles de chou. Mélanger, réduire le feu et laisser mijoter 15 minutes.

5 Incorporer l'ail et l'anis étoilé, et prolonger la cuisson à feu doux 10 à 15 minutes, jusqu'à ce que le canard soit tendre.

6 Faire revenir les graines de sésame dans un wok préchauffé sans cesser de remuer.

7 Retirer les graines de sésame et incorporer à la soupe avec l'huile de sésame et le persil frais.

8 Verser la soupe dans des bols chauds et servir immédiatement.

CONSEIL

Si vous ne trouvez pas de chou chinois, utilisez les feuilles vertes d'un chou vert frisé ou d'un chou cabus. Adaptez la quantité selon votre goût, le chou occidental étant plus parfumé que la variété chinoise.

Soupe de nouilles au bœuf et légumes

4 personnes

INGRÉDIENTS

225 g de bœuf maigre

1 gousse d'ail, hachée

2 oignons verts, émincés

3 cuil. à soupe de sauce de soja

1 cuil. à café d'huile de sésame

225 g de nouilles aux œufs

850 ml de bouillon de bœuf

1/2 poireau, émincé

3 mini-épis de maïs, coupés
en rondelles

125 g de brocoli, en fleurettes

1 pincée de poudre de piment

1 À l'aide d'un couteau tranchant, découper le bœuf en fines lanières. Mettre la viande dans une terrine.

2 Ajouter les oignons verts, l'ail, la sauce de soja et l'huile de sésame. Mélanger pour bien enrober la viande. Couvrir et laisser mariner 30 minutes au réfrigérateur.

3 Cuire les nouilles 3 à 4 minutes dans une casserole d'eau bouillante. Égoutter soigneusement et réserver.

4 Verser le bouillon de bœuf dans un grand fait-tout et porter à ébullition.

5 Ajouter le bœuf avec sa marinade, les épis de maïs, le poireau et le brocoli. Couvrir et cuire à feu doux 7 à 10 minutes, jusqu'à ce que le bœuf et les légumes soient tendres et bien cuits.

6 Incorporer les nouilles et la poudre de piment, et cuire 2 à 3 minutes. Verser la soupe dans des bols et servir immédiatement.

CONSEIL

Variez les légumes ou utilisez ceux que vous avez sous la main. Remplacez la poudre de piment par quelques gouttes de sauce au piment (très forte, n'oubliez pas !).

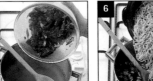

Soupe d'agneau au riz

4 personnes

INGRÉDIENTS

150 g d'agneau maigre
50 g de riz
850 ml de bouillon d'agneau
1 poireau, émincé

1 gousse d'ail, finement émincée
2 cuil. à café de sauce de soja claire
1 champignon de Paris,
    finement émincé

1 cuil. à café de vinaigre de riz
sel

1 À l'aide d'un couteau tranchant, dégraisser soigneusement l'agneau et découper la viande en fines lanières. Réserver.

2 Porter à ébullition un grand fait-tout d'eau légèrement salée et y verser le riz. Porter de nouveau à ébullition en remuant une fois. Baisser le feu et laisser mijoter 10 à 15 minutes, jusqu'à ce que le riz soit tendre. Égoutter le riz et le rincer à l'eau courante. Égoutter de nouveau et réserver.

3 Verser le bouillon d'agneau dans un grand fait-tout et porter à ébullition.

4 Ajouter les lanières d'agneau, le poireau, l'ail, la sauce de soja et le vinaigre, réduire le feu et laisser mijoter à couvert 10 minutes. La chair de l'agneau doit être tendre et parfaitement cuite.

5 Incorporer le champignon et le riz, et cuire 2 à 3 minutes, jusqu'à ce que tout soit parfaitement cuit.

6 Verser la soupe dans 4 bols chauds et servir immédiatement.

CONSEIL

Vous pouvez remplacer les champignons frais par des champignons séchés que vous réhydraterez selon les indications figurant sur leur emballage. Émincez-les et ajoutez-les à l'étape 4.

Soupe de poisson aux wontons

4 personnes

INGRÉDIENTS

125 g de crevettes roses,
    cuites et décortiquées
1 cuil. à café de ciboulette ciselée
1 petite gousse d'ail,
    finement hachée
1 cuil. à soupe d'huile

12 carrés de pâte à wonton
1 petit œuf, battu
850 ml de fumet de poisson
175 g de filet de poisson blanc,
    coupé en cubes
1 filet de sauce au piment

piment rouge frais et ciboulette,
    émincés, en garniture

1 Hacher grossièrement le quart des crevettes et mélanger avec la ciboulette et l'ail.

2 Chauffer l'huile dans un wok préchauffé jusqu'à ce qu'elle soit très chaude. Faire revenir le mélange de crevettes 1 à 2 minutes. Retirer du feu et laisser refroidir complètement.

3 Étaler les carrés de pâte à wonton sur un plan de travail. Disposer une cuillerée de la farce aux crevettes au centre de chaque carré. À l'aide d'un petit pinceau, enduire les bords d'œuf battu et les rabattre vers le centre. Fermer les wontons en leur donnant la forme d'une aumônière et réserver.

4 Verser le fumet de poisson dans un grand fait-tout et porter à ébullition. Ajouter le poisson coupé en cubes et les crevettes restantes, et cuire 5 minutes.

5 Incorporer la sauce au piment et les wontons, et cuire 5 minutes. Verser dans des bols chauds, garnir de piment et de ciboulette émincés, et servir immédiatement.

VARIANTE

Remplacez les crevettes par de la chair de crabe cuite pour une saveur différente.

Soupe de crabe au gingembre

4 personnes

INGRÉDIENTS

1 carotte, hachée	2 crabes de poids moyen, cuits	1 cuil. à café de sauce
1 poireau, haché	1 morceau de gingembre frais	de soja claire
1 feuille de laurier	de 2,5 cm, râpé	1/2 cuil. à café d'anis étoilé
850 ml de fumet de poisson	sel et poivre	en poudre

1 Mettre la carotte, le poireau, le laurier et le fumet dans un grand fait-tout et porter à ébullition. Réduire le feu, couvrir et laisser frémir 10 minutes. Les légumes doivent être tendres.

2 Retirer toute la chair des crabes. Casser les pinces et les réserver. Casser les articulations des pattes et retirer la chair à l'aide d'une fourchette ou d'une brochette.

3 Incorporer la chair de crabe, le gingembre, la sauce de soja et l'anis étoilé à la soupe. Porter à ébullition et laisser frémir 10 minutes, jusqu'à ce que les légumes soient tendres et le crabe cuit.

4 Saler, poivrer la soupe, et verser dans des bols chauds. Garnir avec les pinces réservées et servir.

CONSEIL

Vous pouvez remplacer le crabe frais par de la chair de crabe en boîte ou surgelée.

CONSEIL

Pour préparer un crabe cuit, écartez légèrement la carapace sur le dessus à l'aide d'un couteau tranchant. Arrachez les pattes et les pinces en cassant les jointures. À l'aide d'un couperet ou d'une pince, brisez les pinces pour laisser apparaître la chair. Retirez les parties de carapace brisées. Séparez le reste du corps. Coupez le tronc restant en deux et ôtez la chair. Jetez les parties non comestibles, les poumons et le sac à l'aide d'une cuillère.

Soupe de raviolis aux crevettes

4 personnes

INGRÉDIENTS

PÂTE À RAVIOLIS

150 g de farine

50 ml d'eau bouillante

25 ml d'eau froide

1 cuil. à café 1/2 d'huile

FARCE

125 g de viande de porc, hachée

125 g de crevettes, cuites, décortiquées et hachées

50 g de châtaignes d'eau en boîte, égouttées, rincées et hachées

1 branche de céleri, hachée

1 cuil. à café de maïzena

1 cuil. à soupe d'huile de sésame

1 cuil. à soupe de sauce de soja claire

SOUPE

850 ml de fumet de poisson

50 g de vermicelle transparent

1 cuil. à soupe de xérès sec

ciboulette ciselée, pour décorer

1 Pour la pâte, mélanger la farine, l'eau bouillante, l'eau froide et l'huile dans une terrine, pour former une pâte souple.

2 Pétrir la pâte 5 minutes sur une surface farinée et diviser la pâte en 16 portions de taille égale.

3 Abaisser la pâte en disques de 7,5 cm de diamètre.

4 Mélanger tous les ingrédients de la farce.

5 Placer une cuillerée de farce au centre de chaque disque. Rabattre les bords vers le centre en les plissant et les joignant pour former une aumônière, et tordre la pâte pour fermer.

6 Dans un fait-tout, verser le fumet et porter à ébullition.

7 Ajouter le vermicelle, les raviolis et le xérès, et cuire 4 à 5 minutes jusqu'à ce qu'ils soient tendres. Garnir de ciboulette et servir.

CONSEIL

Utilisez des carrés de pâte à wonton prêts à l'emploi à la place de la pâte à raviolis.

Soupe de pak-choi

4 personnes

INGRÉDIENTS

450 g de pak-choi
600 ml de bouillon de légumes
1 cuil. à soupe de vinaigre de riz
1 cuil. à soupe de sucre

1 cuil. à soupe de sauce
de soja claire
1 piment rouge frais,
finement émincé

1 cuil. à soupe de xérès sec
1 cuil. à soupe de maïzena
2 cuil. à soupe d'eau

1 Laver le pak-choi à l'eau courante, rincer et égoutter. Couper les tiges et ciseler les feuilles.

2 Chauffer le bouillon de légumes dans un grand fait-tout, ajouter le pak-choi et cuire 10 à 15 minutes.

3 Mélanger le vinaigre de riz, la sauce de soja, le sucre et le xérès dans une petite terrine. Ajouter la préparation au bouillon avec le piment émincé. Porter à ébullition, réduire le feu et laisser mijoter 2 à 3 minutes.

4 Délayer la maïzena dans l'eau jusqu'à obtention d'une pâte homogène. Incorporer petit à petit à la soupe et cuire en remuant, jusqu'à épaississement. Laisser mijoter 4 à 5 minutes. Verser la soupe dans des bols chauds et servir.

VARIANTE

Dans l'eau bouillante, faites cuire 2 cuillerées à soupe de riz, jusqu'à ce qu'il soit tendre. Égouttez et répartissez dans les bols. Versez la soupe sur le riz et servez.

CONSEIL

Le pak-choi est constitué de longues côtes blanches et charnues et de minuscules feuilles vertes croquantes en forme de cuillère. Il existe de nombreuses variétés qui diffèrent en taille plus qu'en goût.

Beignets de maïs épicés à la mode thaïe

4 personnes

INGRÉDIENTS

225 g de maïs doux en boîte
ou surgelé
2 piments rouges thaïlandais,
épépinés et finement hachés
2 gousses d'ail, hachées

10 feuilles de lime,
finement hachées
2 cuil. à soupe de coriandre fraîche
ciselée
1 gros œuf

75 g de maïzena
100 g de haricots verts fins,
coupés en fines rondelles
huile d'arachide, pour la friture

1 Mettre le maïs doux, les feuilles de lime, l'ail, les piments, la coriandre, l'œuf et la maïzena dans une grande terrine et bien mélanger.

2 Ajouter les haricots verts et remuer à l'aide d'une cuillère en bois.

3 Former de petites boules avec le mélange. Les aplatir entre les paumes des mains pour former de petites galettes.

4 Chauffer un peu d'huile d'arachide dans un wok préchauffé.

5 Cuire plusieurs beignets à la fois en les retournant de temps en temps, jusqu'à ce que leur surface devienne brune et croustillante.

6 Disposer les beignets sur des assiettes chaudes et servir immédiatement.

CONSEIL

Si vous choisissez du maïs doux en boîte, égouttez-le soigneusement, rincez-le et égouttez-le de nouveau avant usage.

CONSEIL

Les feuilles de lime kafir ont une saveur forte et citronnée. Vous les trouverez séchées ou fraîches dans les boutiques asiatiques, les feuilles fraîches étant nettement plus savoureuses.

Rouleaux de printemps aux légumes

4 personnes

INGRÉDIENTS

225 g de carottes
1 poivron rouge
1 cuil. à soupe d'huile de tournesol,
   un peu plus pour la friture
75 g de germes de soja
zeste finement râpé
   et jus d'un citron vert

1 piment rouge, épépiné
   et finement émincé
1 cuil. à soupe de sauce de soja
1/2 cuil. à café d'arrow-root
2 cuil. à soupe de coriandre fraîche
   ciselée
25 g de beurre

8 feuilles de pâte filo
2 cuil. à café d'huile de sésame

DÉCORATION
sauce au piment
rondelles d'oignons verts

1 Couper les carottes en julienne. Épépiner le poivron rouge et l'émincer finement.

2 Chauffer l'huile de tournesol dans un grand wok préchauffé.

3 Ajouter les carottes, le poivron et les germes de soja, et cuire en remuant 2 minutes, jusqu'à ce que les légumes soient tendres. Hors du feu, ajouter le zeste et le jus de citron vert et le piment rouge, et faire revenir.

4 Mélanger la sauce de soja à l'arrow-root. Ajouter au mélange en remuant, remettre sur le feu et cuire 2 minutes, jusqu'à ce que le jus épaississe. Ajouter la coriandre et mélanger.

5 Étaler les feuilles de pâte filo. Faire fondre le beurre, le mélanger à l'huile de sésame et badigeonner chaque feuille de pâte. Poser une cuillerée de légumes en haut de chaque feuille, rabattre les côtés et rouler.

6 Cuire dans le wok avec un peu d'huile plusieurs rouleaux à la fois 2 à 3 minutes, jusqu'à ce qu'ils soient croustillants. Garnir de brins d'oignons et servir chaud avec de la sauce au piment.

CONSEIL

Vous pouvez remplacer la pâte filo par des feuilles de riz disponibles dans les supermarchés asiatiques.

Aubergines au sept-épices

4 personnes

INGRÉDIENTS

450 g d'aubergines, essuyées
1 blanc d'œuf

50 g de maïzena
1 cuil. à café de sel

1 cuil. à soupe de sept-épices thaï
huile, pour la friture

1 Couper les aubergines en fines rondelles.

2 Mettre le blanc d'œuf dans une terrine et le fouetter jusqu'à ce qu'il soit léger et mousseux.

3 Mélanger la maïzena, le sel et la poudre de sept-épices sur une grande assiette.

4 Chauffer l'huile de friture dans un wok.

5 Tremper les morceaux d'aubergine dans le blanc d'œuf battu, et les passer dans le mélange à la maïzena.

6 Frire plusieurs morceaux d'aubergines à la fois 5 minutes, jusqu'à ce qu'ils soient légèrement dorés et croustillants.

7 Égoutter les morceaux d'aubergine sur du papier absorbant, disposer sur des assiettes et servir chaud.

CONSEIL

Vous trouverez la poudre de sept-épices au rayon épices des supermarchés.

CONSEIL

La meilleure huile pour friture est l'huile d'arachide. Son point de fumée est élevé et elle a un goût léger. Elle ne brûlera ni n'altèrera les aliments. 600 ml suffisent.

Tofu sauté à la sauce pimentée aux cacahuètes

4 personnes

INGRÉDIENTS

450 g de tofu, coupé en cubes huile, pour la friture	SAUCE 6 cuil. à soupe de beurre de cacahuètes 150 ml de lait de coco	1 cuil. à soupe de sauce au piment douce 1 cuil. à soupe de purée de tomates 25 g de cacahuètes salées, concassées

1 Essuyer le tofu avec du papier absorbant.

2 Chauffer l'huile dans un wok et attendre qu'elle soit très chaude. Cuire plusieurs morceaux de tofu à la fois 5 minutes, jusqu'à ce qu'ils soient dorés et croustillants. Retirer le tofu à l'aide d'une écumoire et l'égoutter sur du papier absorbant.

3 Pour la sauce, mélanger dans une terrine le beurre de cacahuètes, la sauce au piment douce, le lait de coco, la purée de tomates et les morceaux de cacahuètes. Ajouter éventuellement un peu d'eau bouillante pour obtenir une pâte lisse.

4 Disposer sur des assiettes et servir avec la sauce aux cacahuètes.

CONSEIL

Vous pouvez aussi cuire la sauce aux cacahuètes dans une casserole à feu doux avant de servir.

CONSEIL

Assurez-vous bien que toute trace d'humidité a été absorbée avant de faire cuire le tofu, sinon il ne dorera pas.

Croustillant de pak-choi

4 personnes

INGRÉDIENTS

1 kg de pak-choi	huile d'arachide, pour la friture	1 cuil. à soupe de sucre
1 cuil. à café de sel	(environ 850 ml)	50 g de pignons, grillés

1 Rincer les feuilles de pak-choi à l'eau courante, et les sécher avec du papier absorbant.

2 Rouler chaque feuille de pak-choi et couper le rouleau en tranches fines afin d'obtenir de minces lanières.

3 Chauffer l'huile dans un wok, y poser des lanières de pak-choi et les faire revenir 30 secondes pour qu'elles réduisent et deviennent croustillantes. Cuire en 4 fois, si nécessaire.

4 Retirer les croustillants de pak-choi du wok à l'aide d'une écumoire et les égoutter sur du papier absorbant.

5 Mettre les croustillants dans une grande terrine, ajouter le sel, le sucre et les pignons, et bien mélanger. Servir immédiatement.

VARIANTE

Vous pouvez aussi utiliser du chou frisé de Milan. Assurez-vous que les feuilles sont bien sèches avant de les faire revenir.

CONSEIL

Pour gagner du temps, vous pouvez couper le pak-choi dans un robot de cuisine. Veillez à n'utiliser que les plus belles feuilles car les feuilles extérieures dures risquent de modifier le goût et l'aspect général du plat.

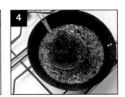

Foies de volaille épicés au pak-choi

4 personnes

INGRÉDIENTS

350 g de foies de volaille	2 gousses d'ail, hachées	1 cuil. à café de maïzena
2 cuil. à soupe d'huile de tournesol	2 cuil. à soupe de ketchup	450 g de pak-choi
1 piment rouge, épépiné et émincé	2 cuil. à soupe de xérès	nouilles aux œufs,
1 cuil. à café de gingembre râpé	3 cuil. à soupe de sauce de soja	en accompagnement

1 À l'aide d'un couteau tranchant, retirer la graisse des foies de volaille et les couper en petits morceaux.

2 Chauffer l'huile dans un grand wok et faire revenir les morceaux de foies de volaille à feu vif 2 à 3 minutes.

3 Ajouter le piment, le gingembre et l'ail, et faire revenir 1 minute.

4 Mélanger le ketchup, le xérès, la sauce de soja et la maïzena dans une petite terrine et réserver.

5 Mettre le pak-choi dans le wok et faire revenir jusqu'à ce qu'il commence à flétrir.

6 Ajouter le mélange au ketchup et cuire en remuant pour bien mélanger le tout, jusqu'à ce que le jus commence à bouillonner.

7 Verser dans des bols et servir chaud, accompagné de nouilles.

CONSEIL

Le gingembre se conserve plusieurs semaines dans un endroit sec et frais.

CONSEIL

Vous trouverez les foies de poulet frais ou surgelés dans les supermarchés.

Gâteaux de poisson à la mode thaïe

4 personnes

INGRÉDIENTS

450 g de filet de cabillaud,
sans la peau
2 cuil. à soupe de sauce de poisson
2 piments rouges thaïlandais,
épépinés et finement hachés

2 gousses d'ail, hachées
10 feuilles de lime, finement hachées
2 cuil. à soupe de coriandre
fraîche hachée
1 gros œuf

25 g de farine
100 g de haricots verts fins,
coupés en fines rondelles
huile d'arachide, pour la friture

1 Couper le cabillaud
en petites bouchées.

2 Mettre les morceaux
de cabillaud, la sauce
de poisson, les piments,
l'ail, les feuilles de lime,
la coriandre, l'œuf
et la farine dans un robot
de cuisine et hacher
finement.

3 Verser dans une grande
terrine, ajouter
les haricots et mélanger.

4 Former de petites
boulettes et les aplatir
entre les paumes des mains
pour former des galettes.

5 Chauffer un peu
d'huile dans un wok
préchauffé. Faire revenir
les gâteaux de poisson des
deux côtés jusqu'à ce qu'ils
soient dorés et croustillants
à l'extérieur.

6 Disposer les gâteaux
de poisson sur des
assiettes et servir chaud.

VARIANTE

*Vous pouvez utiliser d'autres
poissons ou des fruits de mer.
Essayez l'églefin, la chair
de crabe ou le homard.*

CONSEIL

*La sauce de poisson
salée, brune et liquide
est indispensable à un goût
authentique. Au goût moins
prononcé que celui de la sauce
de soja, vous la trouverez
dans les boutiques asiatiques
ou diététiques.*

Gambas au piment et aux cacahuètes

4 personnes

INGRÉDIENTS

450 g de gambas, décortiquées	3 cuil. à soupe de beurre	25 g de beurre, en pommade
1 cuil. à soupe de sauce pimentée	de cacahuètes avec des éclats	50 g de fines nouilles aux œufs
10 feuilles de pâte filo	de cacahuètes	huile, pour la friture

1 À l'aide d'un couteau tranchant, pratiquer une incision horizontale dans le dos de chaque crevette et appuyer pour bien les aplatir.

2 Mélanger le beurre de cacahuètes et la sauce pimentée dans une petite terrine, et enrober chaque crevette de ce mélange.

3 Couper en deux chaque feuille de pâte et l'enduire de beurre fondu.

4 Mettre chaque crevette dans un morceau de pâte en repliant bien les bords pour l'enfermer complètement.

5 Mettre les nouilles aux œufs dans une terrine, les recouvrir d'eau bouillante et laisser reposer 5 minutes. Égoutter les nouilles et en lier 2 ou 3 autour de chaque crevette.

6 Chauffer l'huile dans un wok préchauffé et cuire les crevettes 3 à 4 minutes, jusqu'à ce qu'elles soient dorées et croustillantes.

7 Retirer les crevettes à l'aide d'une écumoire, les poser sur du papier absorbant et les laisser égoutter. Disposer sur des assiettes et servir chaud.

CONSEIL

Pendant l'utilisation de la pâte filo, couvrez la pâte inutilisée pour éviter qu'elle ne se dessèche et devienne cassante.

Rouleaux de crevettes roses

4 personnes

INGRÉDIENTS

1 cuil. à soupe d'huile de tournesol	1 piment rouge thaïlandais,	1/2 cuil. à café d'arrow-root
1 poivron rouge, épépiné	épépiné et finement haché	8 feuilles de pâte filo
et finement haché	1 morceau de gingembre frais	25 g de beurre
75 g de germes de soja	de 1 cm, épluché et râpé	2 cuil. à café d'huile de sésame
zeste finement râpé et jus	1 cuil. à soupe de sauce de poisson	huile, pour la friture
d'un citron vert	2 cuil. à soupe de coriandre fraîche	rondelles d'oignons verts, en garniture
225 g de crevettes, décortiquées	hachée	sauce au piment, en accompagnement

1 Chauffer l'huile de tournesol dans un wok préchauffé et faire revenir le poivron rouge et les germes de soja 2 minutes, jusqu'à ce que les légumes aient ramolli.

2 Retirer le wok du feu et ajouter le zeste et le jus de citron vert, le piment rouge, les crevettes et le gingembre sans cesser de remuer.

3 Mélanger la sauce de poisson à l'arrow-root et ajouter au mélange en remuant. Remettre le wok sur le feu et cuire 2 minutes en remuant, jusqu'à ce que le jus épaississe. Ajouter la coriandre et faire revenir en remuant.

4 Étaler les feuilles de pâte filo. Faire fondre l'huile de sésame et le beurre et en enduire chaque feuille.

5 Poser une cuillerée de la farce aux crevettes en haut de chaque feuille et l'emballer en rabattant les extrémités et en roulant.

6 Chauffer l'huile dans un wok. Cuire plusieurs rouleaux à la fois 2 à 3 minutes, jusqu'à ce qu'ils soient croustillants et dorés. Garnir de rondelles d'oignons verts et servir chaud avec une sauce au piment.

CONSEIL

Les crevettes roses cuites ne doivent être recuites qu'une minute pour éviter qu'elles ne durcissent.

Salade de crevettes chinoise

4 personnes

INGRÉDIENTS

250 g de fines nouilles aux œufs	150 g de germes de soja	350 g de crevettes roses,
3 cuil. à soupe d'huile de tournesol	1 mangue mûre, coupée en tranches	cuites et décortiquées
1 cuil. à soupe d'huile de sésame	6 oignons verts, émincés	2 cuil. à soupe de sauce de soja claire
1 cuil. à soupe de graines de sésame	75 g de radis, coupés en tranches	1 cuil. à soupe de xérès

1 Mettre les nouilles aux œufs dans une grande terrine et les recouvrir d'eau bouillante. Laisser reposer 10 minutes.

2 Égoutter les nouilles et ôter toute trace d'humidité avec du papier absorbant.

3 Chauffer l'huile de tournesol dans un wok, ajouter les nouilles et les faire revenir 5 minutes en les retournant souvent.

4 Retirer le wok du feu et ajouter l'huile de sésame, les graines de sésame et les germes de soja en remuant pour bien mélanger le tout.

5 Dans une terrine séparée, mélanger les tranches de mangue, les oignons verts, les radis, les crevettes, la sauce de soja et le xérès.

6 Mélanger en faisant revenir le mélange de crevettes avec des nouilles ou empiler le mélange de crevettes au centre d'un plat et disposer les nouilles autour. Servir immédiatement.

VARIANTE

Vous pouvez également utiliser des tranches de mangue en conserve, rincées et égouttées.

Toasts de crevettes roses au sésame

4 personnes

INGRÉDIENTS

4 tranches moyennes de pain de mie	2 gousses d'ail, hachées	huile, pour la friture
225 g de crevettes roses, cuites et décortiquées	1 cuil. à soupe d'huile de sésame	sauce au piment douce, en accompagnement
1 cuil. à soupe de sauce de soja	1 œuf	
	25 g de graines de sésame	

1 Retirer, selon son goût, la croûte du pain et réserver les tranches.

2 Placer les crevettes, la sauce de soja, l'ail, l'huile de sésame et l'œuf dans un robot de cuisine et mixer jusqu'à obtention d'une pâte lisse.

3 Tartiner également la pâte aux crevettes sur les 4 tranches de pain.

4 Parsemer le mélange aux crevettes de graines de sésame et bien appuyer avec les mains pour qu'elles adhèrent.

5 Couper chaque tranche de pain en biais pour obtenir 4 triangles.

6 Chauffer l'huile dans un wok et faire revenir les toasts, les graines de sésame à l'extérieur, 4 à 5 minutes, jusqu'à ce qu'ils soient dorés et croustillants.

7 Retirer les toasts à l'aide d'une écumoire, les poser sur du papier absorbant et les égoutter.

8 Servir chaud accompagné de sauce au piment douce.

VARIANTE

Pour plus de goût et de croquant, ajoutez deux oignons verts émincés au mélange à l'étape 2.

Omelette aux crevettes et au soja

4 personnes

INGRÉDIENTS

3 cuil. à soupe d'huile de tournesol
2 poireaux, ébarbés et émincés
25 g de maïzena

350 g de crevettes tigrées roses crues
1 cuil. à café de sel
175 g de germes de soja

175 g de champignons, émincés
6 œufs
poireaux frits, en garniture

1 Chauffer l'huile dans un wok préchauffé. Ajouter les poireaux et faire revenir 3 minutes.

2 Rincer les crevettes à l'eau courante et les sécher avec du papier absorbant.

3 Mélanger la maïzena et le sel dans une grande terrine.

4 Ajouter les crevettes au mélange à base de maïzena et remuer pour qu'elles en soient enrobées.

5 Mettre les crevettes dans le wok et les faire revenir 2 minutes, jusqu'à ce qu'elles soient presque cuites.

6 Ajouter les germes de soja et les champignons, et faire revenir 2 minutes.

7 Battre les œufs avec 3 cuillerées à soupe d'eau froide. Verser ce mélange dans le wok et le cuire jusqu'à ce que les œufs prennent, en retournant une fois avec précaution. Poser l'omelette sur un plan de travail propre, la diviser en 4 et servir chaud, éventuellement garni de poireaux frits.

CONSEIL

Vous pouvez aussi diviser le mélange en 4 après la cuisson initiale à l'étape 6 et cuire 4 omelettes individuelles.

Crevettes roses au sel et au poivre

4 personnes

INGRÉDIENTS

2 cuil. à café de sel	450 g de crevettes tigrées roses crues,	1 cuil. à café de gingembre râpé
1 cuil. à café de poivre noir	décortiquées	3 gousses d'ail, hachées
2 cuil. à café de grains de poivre	2 cuil. à soupe d'huile d'arachide	oignons verts, émincés, en garniture
du Sichuan	1 piment rouge, épépiné	chips de crevettes,
1 cuil. à café de sucre	et finement haché	en accompagnement

1 Dans un mortier, moudre le sel, le poivre noir et les grains de poivre du Sichuan à l'aide d'un pilon, ajouter le sucre au mélange et réserver.

2 Rincer les crevettes à l'eau courante et les sécher avec du papier absorbant.

3 Chauffer l'huile dans un wok préchauffé. Ajouter les crevettes, le piment, le gingembre et l'ail, et faire revenir 4 à 5 minutes, jusqu'à ce que les crevettes soient parfaitement cuites.

4 Ajouter le mélange de sel et de poivre dans le wok et faire revenir 1 minute.

5 Verser dans des bols chauds et garnir d'oignon vert. Servir chaud avec des biscuits salés aux crevettes.

CONSEIL

Les grains de poivre du Sichuan sont aussi connus sous le nom de « poivre-fleur ». Brun-rougeâtre et de la région chinoise du Sichuan, ils donnent beaucoup d'arôme.

CONSEIL

Les crevettes tigrées sont très répandues. Outre leur saveur et leur couleur, elles ont l'avantage de posséder une chair ferme. Si vous les utilisez cuites, ajoutez-les avec le mélange de sel et de poivre à l'étape 4. Si elles sont mises à cuire plus tôt, elles durciront et deviendront immangeables.

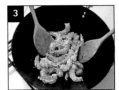

Nems

4 personnes

INGRÉDIENTS

175 g de porc, cuit et haché
75 g de poulet, cuit et haché
1 cuil. à café de sauce
    de soja claire
1 cuil. à café de sucre roux
1 cuil. à café d'huile de sésame
1 cuil. à café d'huile
225 g de germes de soja
1 poivron vert, épépiné et émincé

25 g de pousses de bambou
    en boîte, égouttées,
    rincées et hachées
2 oignons verts, émincés
1 cuil. à café de maïzena
2 cuil. à café d'eau
huile, pour la friture

GALETTES
125 g de farine
5 cuil. à soupe de maïzena
450 ml d'eau
3 cuil. à soupe d'huile

1 Mélanger le porc, le poulet, la sauce de soja, le sucre et l'huile de sésame, couvrir et laisser mariner 30 minutes. Chauffer l'huile dans un wok, ajouter les germes de soja, les pousses de bambou, le poivron et les oignons verts, et cuire 2 à 3 minutes. Ajouter la viande et la marinade, et cuire 2 à 3 minutes. Délayer 1 cuillerée à café de maïzena dans l'eau, ajouter dans le wok et laisser refroidir.

2 Pour les galettes, mélanger la farine et la maïzena, et incorporer petit à petit dans l'eau pour obtenir une pâte homogène. Chauffer une petite poêle huilée. Verser en répartissant bien sur le fond, environ un huitième de la pâte et cuire 2 à 3 minutes. Renouveler l'opération avec le reste de pâte. À mesure, disposer les galettes frites dans une assiette et les couvrir d'un torchon humide.

3 Étaler les galettes et les garnir avec un huitième de la farce. Humecter les bords des galettes, replier les côtés et former des rouleaux.

4 Chauffer l'huile dans un wok à 180 °C, frire les nems en plusieurs fois 2 à 3 minutes. Ils doivent être croustillants et dorés. Retirer de l'huile à l'aide d'une écumoire, égoutter et servir immédiatement.

Dim sum au porc

4 personnes

INGRÉDIENTS

400 g de porc, haché	1 cuil. à soupe de sauce	1 blanc d'œuf, légèrement battu
2 oignons verts, hachés	de soja claire	4 cuil. à café 1/2 de maïzena
50 g de pousses de bambou	1 cuil. à soupe de xérès sec	24 carrés de pâte à wonton
en boîte, égouttées,	2 cuil. à café d'huile de sésame	
rincées et hachées,	2 cuil. à café de sucre	

1 Dans une grande terrine, mettre le porc haché, les oignons verts, les pousses de bambou, la sauce de soja, le xérès sec, l'huile de sésame, le sucre et le blanc d'œuf battu, et bien mélanger.

2 Ajouter la maïzena et remuer jusqu'à ce qu'elle soit parfaitement incorporée à la préparation.

3 Étaler les carrés de pâte à wonton sur un plan de travail. Garnir le centre de chaque carré avec une cuillerée de farce.

À l'aide d'un petit pinceau, humecter les bords des carrés avec un peu d'eau.

4 Rabattre les bords de la pâte vers le centre et pincer pour bien assembler et fermer les dim sum.

5 Chemiser un panier à étuver avec un torchon humide et y disposer les wontons. Couvrir le panier et laisser étuver 5 à 7 minutes, jusqu'à ce que les dim sum soient complètement cuits. Servir.

CONSEIL

Les paniers à étuver en bambou sont conçus pour reposer sur les parois du wok au-dessus du niveau de l'eau. Ils existent en plusieurs tailles.

VARIANTE

Vous pouvez également utiliser des crevettes hachées, du poulet ou de la chair de crabe, d'autres légumes, comme des carottes râpées, ou d'autres épices, comme du piment ou du gingembre.

Wontons croustillants au crabe

4 personnes

INGRÉDIENTS

175 g de chair de crabe blanche	1 oignon vert, haché	24 carrés de pâte à wonton
50 g de châtaignes d'eau en boîte, égouttées, rincées et hachées	1 cuil. à soupe de maïzena	1/2 cuil. à café de jus de citron vert
	1 cuil. à café de xérès sec	huile, pour la friture
1 petit piment rouge frais, haché	1 cuil. à café de sauce de soja claire	rondelles de citron vert, en garniture

1 Pour la farce, mélanger la chair de crabe, les châtaignes d'eau, le piment, l'oignon vert, la maïzena, le xérès, la sauce de soja et le jus de citron.

2 Étaler les carrés de pâte à wonton sur un plan de travail et garnir chaque carré d'une cuillerée de farce.

3 Humecter les bords de la pâte avec un peu d'eau et les replier en diagonale de façon à former un triangle. Rabattre les deux pointes vers le centre,

humecter avec un peu d'eau et fermer en pinçant.

4 Chauffer l'huile à 180 °C, un dé de pain doit y dorer en 30 secondes. Plonger les raviolis, en plusieurs fois, 2 à 3 minutes, jusqu'à ce qu'ils soient dorés et croustillants. Retirer de l'huile à l'aide d'une écumoire et égoutter sur du papier absorbant.

5 Servir les wontons chauds et garnis de rondelles de citron.

CONSEIL

Les carrés de pâte à wonton, disponibles dans les épiceries asiatiques, sont préparés à base de farine de blé et d'œuf. Manipulez-les avec précaution car ils sont fragiles. Assurez-vous de les avoir correctement fermés pour éviter que la farce ne se répande dans l'huile au moment de la friture.

Boulettes de poulet à la vapeur

4 personnes

INGRÉDIENTS

BOULETTES
175 g de farine
1 pincée de sel
3 cuil. à soupe d'huile
6 à 8 cuil. à soupe d'eau
   bouillante
huile, pour la friture
125 ml d'eau, pour étuver
rondelles d'oignons verts
   et ciboulette, en garniture

sauce de soja ou sauce hoisin,
   en accompagnement

FARCE
150 g de blanc de poulet,
   très finement haché
25 g de pousses de bambou
   en boîte, égouttées et hachées
1/2 poivron rouge, épépiné et haché
1 cuil. à café d'huile de sésame

1/2 cuil. à café de poudre
   de curry chinois
1 cuil. à soupe de sauce
   de soja claire
1 cuil. à café de sucre

1 Pour la pâte, tamiser la farine et le sel dans une terrine. Ménager un puits, verser l'huile et l'eau, et mélanger jusqu'à obtention une pâte homogène. Pétrir sur une surface farinée, couvrir de film alimentaire et laisser reposer 30 minutes.

2 Bien mélanger tous les ingrédients de la farce dans une grande terrine.

3 Diviser la pâte en 12 pâtons de taille égale. Abaisser chaque pâton pour obtenir un cercle de 12,5 cm. Garnir le centre d'une portion de farce et rabattre les bords en les pressant l'un contre l'autre.

4 Verser un peu d'huile dans une sauteuse et faire rissoler les boulettes en plusieurs fois, jusqu'à ce qu'elles soient dorées et légèrement croustillantes. Remettre les boulettes dans la sauteuse avec 125 ml d'eau, couvrir et laisser étuver 5 minutes pour qu'elles soient bien cuites. Retirer à l'aide d'une écumoire et garnir d'oignons et de ciboulette. Servir avec de la sauce de soja claire ou hoisin.

Pâtés impériaux

4 personnes

INGRÉDIENTS

4 cuil. à café d'huile

1 ou 2 gousses d'ail, hachées

225 g de porc, haché

225 g de pak-choï, ciselé

1/2 cuil. à café d'huile de sésame

4 cuil. à café 1/2 de sauce
de soja claire

8 galettes de riz de 25 cm
de diamètre

huile, pour la friture

SAUCE AU PIMENT (*voir « conseil »*)

60 g de sucre

50 ml de vinaigre de riz

2 cuil. à soupe d'eau

2 piments rouges, hachés

1 Chauffer l'huile dans un wok préchauffé, ajouter l'ail et faire revenir 30 secondes. Incorporer le porc et faire revenir 2 à 3 minutes jusqu'à ce que la viande soit légèrement dorée. Ajouter le pak-choï, la sauce de soja et l'huile de sésame et faire frire 2 à 3 minutes. Retirer du feu et laisser refroidir.

2 Étaler une galette de riz sur un plan de travail. Garnir une extrémité avec 2 cuillerées à soupe de farce au porc. Rouler la galette une fois autour de la farce, et replier les côtés. Finir de former le rouleau et sceller les bords en les humectant avec un peu d'eau. Laisser reposer 10 minutes pour que les rouleaux se soudent.

3 Chauffer l'huile dans un wok. Lorsqu'elle est très chaude, réduire le feu et faire frire les pâtés impériaux en plusieurs fois si nécessaire, 3 à 4 minutes. Ils doivent devenir brun-doré. Retirer de l'huile à l'aide d'une écumoire et égoutter sur du papier absorbant. Servir avec la sauce au piment.

CONSEIL

Pour préparer la sauce au piment, faites chauffer en remuant le sucre, le vinaigre et l'eau jusqu'à complète dissolution du sucre. Portez à ébullition, laissez bouillir jusqu'à ce qu'un léger sirop se forme et retirez du feu. Ajoutez les piments rouges et laissez refroidir avant de servir. Si vous préférez une sauce moins épicée, épépinez les piments avant de les émincer.

Beignets de crevettes roses à la sauce aigre-douce

4 personnes

INGRÉDIENTS

16 grosses crevettes crues,
  décortiquées
1 cuil. à café de gingembre frais râpé
1 gousse d'ail, hachée
2 oignons verts, émincés
2 cuil. à soupe de xérès sec
2 cuil. à café d'huile de sésame
1 cuil. à soupe de sauce
  de soja claire
huile, pour la friture
oignon vert, émincé, en garniture

PÂTE
4 blancs d'œufs
4 cuil. à soupe de maïzena
2 cuil. à soupe de farine

SAUCE
2 cuil. à soupe de concentré
  de tomates
2 cuil. à soupe de jus de citron
3 cuil. à soupe de vinaigre
  de vin blanc

4 cuil. à café de sauce
  de soja claire
3 cuil. à soupe de sucre roux
1 poivron vert, épépiné
  et finement émincé
1/2 cuil. à café de sauce au piment
300 ml de bouillon de légumes
2 cuil. à café de maïzena

1 À l'aide d'une petite pince, déveiner les crevettes et les aplatir à l'aide d'un grand couteau.

2 Disposer dans un plat et ajouter les oignons verts, l'ail, l'huile de sésame, le xérès, le gingembre et la sauce de soja. Couvrir et laisser mariner 30 minutes.

3 Pour la pâte, battre les blancs d'œufs en neige ferme. Incorporer la maïzena et la farine jusqu'à obtention d'une pâte légère.

4 Mettre les ingrédients de la sauce dans une casserole et porter à ébullition. Réduire le feu et cuire 10 minutes.

5 Retirer les crevettes de la marinade et les tremper dans la pâte.

6 Chauffer l'huile dans un wok. Réduire le feu et frire les crevettes 3 à 4 minutes pour qu'elles soient croustillantes. Garnir d'oignons verts et servir avec la sauce.

Beignets de crevettes

4 personnes

INGRÉDIENTS

1 blanc d'œuf	2 cuil. à café de xérès sec	huile, pour la friture
2 cuil. à café de maïzena	4 oignons verts, émincés	sauce hoisin ou sauce aux prunes,
1 cuil. à café de sucre en poudre	25 g de châtaignes d'eau	en accompagnement
2 cuil. à café de sauce hoisin	en boîte, égouttées,	
225 g de crevettes,	rincées et émincées	
cuites et décortiquées	8 feuilles de riz chinoises	

1 Dans une terrine, battre légèrement l'œuf. Ajouter la maïzena, le xérès sec, le sucre et la sauce hoisin. Ajouter les oignons verts, les crevettes, et les châtaignes d'eau, et mélanger.

2 Faire ramollir les feuilles de riz en les trempant une à une dans une terrine remplie d'eau. Étaler sur un plan de travail.

3 À l'aide d'une petite cuillère, disposer un peu de farce aux crevettes au centre de chaque feuille de riz. Envelopper la feuille autour de la farce pour former un petit paquet bien fermé. Répéter l'opération avec les 8 feuilles de riz.

4 Chauffer l'huile dans un wok jusqu'à ce qu'elle soit très chaude. Réduire le feu et frire les beignets 4 à 5 minutes, jusqu'à ce qu'ils soient croustillants. Retirer de l'huile à l'aide d'une écumoire et égoutter sur du papier absorbant.

5 Disposer sur un plat et servir avec de la sauce hoisin ou aux prunes.

CONSEIL

Si vous ne disposez pas de feuilles de riz, utilisez des carrés de pâte à wonton.

Raviolis au crabe

4 personnes

INGRÉDIENTS

450 g de chair de crabe
1/2 poivron rouge, épépiné
et émincé
125 g de chou chinois, coupé
en lanières
16 carrés de pâte à wonton

25 g de germes de soja,
grossièrement hachés
1 cuil. à soupe de sauce
de soja claire
1 cuil. à café de jus
de citron vert

1 petit œuf, battu
2 cuil. à soupe d'huile d'arachide
1 cuil. à café d'huile de sésame
sel et poivre

1 Mélanger le crabe, le poivron rouge, le chou chinois, les germes de soja, la sauce de soja et le jus de citron dans une terrine. Saler, poivrer et laisser reposer 15 minutes en remuant souvent.

2 Étaler les carrés de pâte à wonton sur un plan de travail, garnir chaque carré avec un peu de farce et réserver la farce restante.

3 Dorer le bord des carrés de pâte à l'œuf battu et plier en deux en expulsant

l'air complètement. Sceller les raviolis en pressant les bords entre les doigts.

4 Chauffer l'huile d'arachide dans un wok préchauffé et faire frire les raviolis 3 à 4 minutes par fournées en les retournant, jusqu'à ce qu'ils soient dorés. Retirer à l'aide d'une écumoire et égoutter sur du papier absorbant.

5 Dans le wok, chauffer à feu doux le reste de la farce. Servir les raviolis accompagnés de la farce

chaude et arrosés d'un filet d'huile de sésame.

CONSEIL

Veillez à sceller soigneusement les raviolis après en avoir expulsé l'air pour éviter qu'ils ne s'ouvrent durant la cuisson.

Travers de porc

4 personnes

INGRÉDIENTS

900 g de travers de porc	1 cuil. à soupe d'alcool de riz	2 gousses d'ail, hachées
2 cuil. à soupe de sauce	ou de xérès sec	brins de coriandre, pour décorer
de soja épaisse	2 cuil. à café de sucre roux	(facultatif)
3 cuil. à soupe de sauce hoisin	1/4 de cuil. à café de sauce	
1 pincée de poudre de cinq-épices	au piment	

1 Couper le porc en morceaux s'il est en une seule pièce. Recouper si nécessaire chaque morceau en tronçons de 5 cm à l'aide d'un couperet.

2 Mélanger la sauce hoisin, la sauce de soja, l'alcool de riz ou le xérès, la poudre de cinq-épices, le sucre roux, la sauce au piment et l'ail.

3 Placer les travers dans un plat peu profond. Verser la préparation en remuant bien pour que la viande en soit recouverte.

Couvrir et laisser mariner 1 heure au réfrigérateur, en remuant de temps en temps.

4 Retirer les travers de la marinade et les disposer en une seule couche sur une grille placée au-dessus d'un plat allant au four à moitié rempli d'eau chaude. Badigeonner de marinade et en réserver le reste.

5 Cuire 30 minutes au four préchauffé, à 180 °C (th. 6). Sortir du four et retourner les morceaux de viande.

Badigeonner avec le reste de marinade et remettre au four encore 30 minutes, jusqu'à ce qu'ils soient complètement cuits. Disposer dans un plat de service chaud, parsemer de coriandre et servir immédiatement.

CONSEIL

Si nécessaire, ajoutez de l'eau dans le plat à rôtir pendant la cuisson. Ne la laissez pas s'évaporer complètement, la vapeur permettant une meilleure cuisson du porc.

Ailes de poulet au miel

4 personnes

INGRÉDIENTS

450 g d'ailes de poulet
2 cuil. à soupe d'huile d'arachide
2 cuil. à soupe de sauce
de soja claire
2 cuil. à soupe de sauce hoisin
2 cuil. à soupe de miel liquide
2 gousses d'ail, hachées

1 cuil. à café de graines
de sésame

MARINADE
1 piment rouge séché
1/2 à 1 cuil. à café de poudre
de piment
1/2 à 1 cuil. à café de gingembre
en poudre
zeste finement râpé d'un citron vert

1 Pour la marinade, piler le piment séché dans un mortier. Dans une terrine, mélanger le piment avec la poudre de piment, le zeste de citron et le gingembre.

2 Rouler les ailes de poulet dans le mélange jusqu'à ce qu'elles soient bien enrobées, et laisser mariner 2 heures pour que la viande soit imprégnée.

3 Chauffer l'huile dans un wok préchauffé.

4 Ajouter les ailes de poulet et frire 10 à 12 minutes en retournant souvent, pour qu'elles soient croustillantes et dorées. Retirer l'excédent de graisse.

5 Ajouter la sauce de soja, la sauce hoisin, le miel, l'ail et les graines de sésame aux ailes de poulet. Bien mélanger.

6 Réduire le feu et cuire 20 à 25 minutes en retournant souvent la viande, jusqu'à ce qu'elle soit complètement cuite. Servir.

CONSEIL

Vous pouvez préparer le plat à l'avance et le congeler. Après l'avoir soigneusement décongelé, couvrez-le d'aluminium et faites cuire à four modéré.

Brioches de canard à la vapeur

4 personnes

INGRÉDIENTS

PÂTE À BRIOCHE

300 g de farine

15 g de levure déshydratée

1 cuil. à café de sucre

2 cuil. à soupe d'eau chaude

175 ml de lait, chaud

FARCE

300 g de filet de canard

1 cuil. à soupe de sucre roux

1 cuil. à soupe de sauce
de soja claire

2 cuil. à soupe de miel liquide

1 cuil. à soupe de sauce hoisin

1 cuil. à soupe d'huile

1 poireau, finement émincé

1 gousse d'ail, hachée

1 morceau de gingembre frais
de 1 cm, râpé

1 Pour la farce, mettre le canard dans une terrine. Mélanger le sucre, la sauce de soja, le miel et la sauce hoisin dans une terrine, et verser sur le canard. Laisser mariner 20 minutes. Retirer de la marinade et placer sur une grille au-dessus d'une lèchefrite. Cuire au four préchauffé à 200 °C (th. 6-7) 35 à 40 minutes. Laisser refroidir, couper la chair de canard en dés et réserver.

2 Chauffer l'huile dans un wok et cuire l'ail, le poireau et le gingembre 3 minutes. Ajouter au canard et réserver.

3 Verser la farine dans une terrine. Dans une autre, mélanger la levure, le sucre, et l'eau chaude, laisser reposer au chaud 15 minutes et incorporer à la farine. Ajouter le lait chaud et remuer pour obtenir une pâte ferme. Pétrir 5 minutes sur une surface farinée.

Façonner un rouleau de 2,5 cm et le découper en 16 tronçons. Laisser reposer 20 à 25 minutes et abaisser en galettes rondes de 10 cm. Garnir d'une cuillerée de farce, relever les bords et les fermer en tournant pour leur donner la forme d'une petite aumônière.

4 Placer les brioches sur un torchon humide au fond d'un panier à étuver. Couvrir et cuire à la vapeur 20 minutes. Servir chaud.

Boulettes de viande aux épinards

4 personnes

INGRÉDIENTS

125 g de porc
1 petit œuf
1 morceau de gingembre frais
    de 1 cm, émincé
1 petit oignon, finement émincé
1 cuil. à soupe d'eau bouillante
25 g de pousses de bambou
    en boîte, rincées et égouttées

2 tranches de jambon fumé,
    hachées
2 cuil. à café de maïzena
450 g d'épinards frais
2 cuil. à café de graines
    de sésame

SAUCE
150 ml de bouillon de légumes
1/2 cuil. à café de maïzena
1 cuil. à café d'eau
1 cuil. à café de sauce de soja claire
1/2 cuil. à café d'huile de sésame
1 cuil. à soupe de ciboulette hachée

1 Hacher finement le porc dans un robot de cuisine. Dans une terrine, battre légèrement l'œuf et y incorporer la viande.

2 Mettre le gingembre et l'oignon dans une autre terrine, recouvrir d'eau bouillante et laisser tremper 5 minutes. Égoutter et incorporer le mélange à la viande avec les pousses de bambou, le jambon et la maïzena. Mélanger et façonner 12 boulettes avec la farce.

3 Nettoyer les épinards et retirer les tiges. Blanchir à l'eau bouillante 10 secondes, égoutter en extrayant le plus d'eau possible et découper en très fines lanières. Mélanger dans une terrine avec les graines de sésame. Rouler les boulettes dans la préparation jusqu'à ce qu'elles soient bien enrobées.

4 Placer les boulettes dans un panier à étuver, couvrir et cuire à la vapeur 8 à 10 minutes, jusqu'à

ce qu'elles soient tendres et complètement cuites.

5 Pour la sauce, verser le bouillon dans une casserole et porter à ébullition. Délayer la maïzena dans l'eau et incorporer au bouillon. Ajouter la sauce de soja, l'huile de sésame et la ciboulette. Disposer les boulettes sur un plat chaud et servir avec la sauce.

Rouleaux de chou à la vapeur

4 personnes

INGRÉDIENTS

8 feuilles de chou, parées
225 g de blanc de poulet,
   sans la peau
175 g de crevettes, crues
   ou cuites, décortiquées

1 cuil. à café de maïzena
1/2 cuil. à soupe de poudre
   de piment
1 œuf, légèrement battu
1 cuil. à soupe d'huile

1 poireau, émincé
1 gousse d'ail, finement hachée
piment rouge frais, émincé,
   en garniture

1 Blanchir le chou
2 minutes dans un
fait-tout d'eau bouillante.
Égoutter, rincer à l'eau
courante, égoutter
de nouveau et sécher
avec du papier absorbant.

2 Mettre le poulet et les
crevettes dans un robot
de cuisine ou un hachoir à
viande, et hacher finement.
Verser la préparation dans
une terrine avec la maïzena,
la poudre de piment
et l'œuf, et bien mélanger.

3 Garnir l'extrémité de
chaque feuille de chou

avec 2 cuillerées à soupe
de farce. Rabattre d'abord
les bords latéraux de la
feuille de chou sur la farce,
et bien l'envelopper
en roulant la feuille.

4 Placer les rouleaux
dans un panier
à étuver, la face fermée
en-dessous et cuire
à la vapeur 10 minutes,
jusqu'à ce qu'ils soient
cuits.

5 Chauffer l'huile dans
un wok préchauffé
et faire revenir le poireau
et l'ail 2 minutes.

6 Disposer les rouleaux
sur des assiettes
chaudes et garnir
de piment rouge. Servir
avec le sauté de poireau
à l'ail.

CONSEIL

*Vous pouvez utiliser
du chou chinois ou du chou
frisé en prélevant
des feuilles de même taille.*

Omelette chinoise

4 personnes

INGRÉDIENTS

8 œufs

12 grosses crevettes,
décortiquées et déveinées

225 g de blanc de poulet,
cuit et émincé

2 cuil. à soupe de ciboulette hachée

2 cuil. à café de sauce
de soja claire

1 trait de sauce au piment

2 cuil. à soupe d'huile

1 Battre légèrement les œufs dans une terrine.

2 Incorporer le poulet et les crevettes aux œufs, et bien mélanger.

3 Ajouter la ciboulette, la sauce de soja et la sauce au piment, et mélanger.

4 Chauffer l'huile à feu moyen dans une grande sauteuse préchauffée, y verser les œufs battus en les répartissant bien sur toute la surface et cuire à feu moyen, en remuant délicatement l'omelette à l'aide d'une fourchette, jusqu'à ce que la surface soit ferme et le dessous doré.

5 Retirer l'omelette à l'aide d'une spatule.

6 Couper l'omelette en cubes ou en tranches et servir immédiatement.

VARIANTE

Donnez plus de goût à votre omelette en ajoutant 3 cuillerées à soupe de coriandre fraîche ciselée ou 1 cuillerée à café de graines de sésame à l'étape 3.

CONSEIL

Ajoutez à cette recette des pois ou d'autre légumes et servez-la en plat principal pour deux.

Brochettes de poulet à la thaïlandaise

4 personnes

INGRÉDIENTS

4 blancs de poulet, sans la peau

1 oignon, épluché et coupé
en quartiers

1 gros poivron jaune, épépiné

1 gros poivron rouge, épépiné

12 feuilles de lime kafir

2 cuil. à soupe d'huile de tournesol

2 cuil. à soupe de jus de citron vert

tomates, coupées en deux,
en accompagnement

MARINADE

1 cuil. à soupe de pâte de curry
rouge thaïe

150 ml de lait de coco en boîte

1 Pour la marinade, mettre la pâte de curry rouge dans une casserole et cuire 1 minute à feu moyen. Ajouter la moitié du lait de coco et porter à ébullition. Cuire à petits bouillons 2 à 3 minutes, jusqu'à ce que le liquide ait réduit des deux tiers.

2 Retirer la casserole du feu et ajouter le reste de lait de coco. Laisser refroidir.

3 Couper le poulet en cubes de 2,5 cm.

Incorporer la viande à la marinade, couvrir et laisser reposer au réfrigérateur au moins 2 heures.

4 Couper l'oignon en quartiers et les poivrons en morceaux de 2,5 cm.

5 Retirer les morceaux de poulet de la marinade et les piquer sur des brochettes, en alternant avec les feuilles de lime et les légumes.

6 Mélanger l'huile et le jus de citron vert

dans une petite terrine et badigeonner les brochettes de la préparation obtenue. Cuire les brochettes 10 à 15 minutes au barbecue sur des braises chaudes, les retourner et les badigeonner de marinade. Cuire les tomates au barbecue et servir avec les brochettes de poulet.

Brochettes de poulet au sésame, sauce aux airelles

8 personnes

INGRÉDIENTS

4 blancs de poulet, sans la peau	ACCOMPAGNEMENT	SAUCE
4 cuil. à soupe de vin blanc sec	pommes de terre nouvelles,	175 g d'airelles
1 cuil. à soupe de sucre roux	cuites	150 ml de jus d'airelle
2 cuil. à soupe d'huile de tournesol	feuilles de salade	2 cuil. à soupe de sucre roux
100 g de graines de sésame		
sel et poivre		

1 Couper le poulet en cubes de 2,5 cm. Mettre le vin, le sucre, l'huile, le sel et le poivre dans une terrine et bien mélanger. Ajouter les morceaux de poulet et bien mélanger. Laisser mariner au moins 30 minutes, en retournant le poulet de temps en temps.

2 Mettre les ingrédients de la sauce dans une petite casserole et porter doucement à ébullition,

sans cesser de remuer. Cuire 5 à 10 minutes jusqu'à ce que les airelles soient tendres et pulpeuses. Ajouter du sucre si nécessaire. Tenir au chaud ou laisser refroidir.

3 Retirer les morceaux de poulet de la marinade à l'aide d'une écumoire. Les piquer sur 8 brochettes, en les espaçant légèrement pour une cuisson uniforme.

4 Cuire 4 à 5 minutes de chaque côté sur une

grille huilée, au-dessus de braises très chaudes. Badigeonner plusieurs fois avec la marinade.

5 Enlever les brochettes de poulet de la grille et les rouler dans les graines de sésame. Les remettre 1 minute de chaque côté sur le barbecue, jusqu'à ce que les graines de sésame soient grillées. Servir avec la sauce aux airelles, les pommes de terre nouvelles et les feuilles de salade.

Viandes & volailles

En Extrême-Orient, on consomme beaucoup moins
de viande que dans le monde occidental
car elle est onéreuse. On sait pourtant en exploiter
toutes les ressources – marinée ou épicée et associée
à d'autres délicieuses saveurs locales, elle est à la base
d'un grand nombre de plats savoureux.

La Malaisie offre une grande variété de viandes épicées.
Le poulet est la volaille la plus utilisée – mariné, grillé
et sauté ou cuit au wok sous forme de currys et de ragoûts.

En Chine, la volaille, l'agneau, le bœuf et le porc sont
sautés ou cuits à la vapeur dans un wok, puis servis
avec de la sauce de soja, de soja noire ou d'huître.
Au Japon, où la quantité de viande consommée est moins
importante, elle est généralement marinée et sautée
rapidement au wok ou mijotée dans un bouillon de miso.

En Thaïlande, les préparations sont similaires. Toutefois,
l'élevage « en plein air » confère plus de goût à la viande
qui est en principe moins grasse. Par ailleurs, le bœuf
a de grandes chances d'être du buffle tandis que l'agneau
se révèle souvent être de la chèvre ! Les recettes qui suivent
n'exigent pas de tels ingrédients et peuvent parfaitement
être réalisées avec les viandes les plus courantes.

Poulet sauté au gingembre

4 personnes

INGRÉDIENTS

2 cuil. à soupe d'huile de tournesol
1 oignon, émincé
175 g de carottes, en julienne
1 gousse d'ail, hachée
1 cuil. à café de gingembre en poudre
4 cuil. à soupe de xérès doux

350 g de blanc de poulet, désossé
et sans la peau
2 cuil. à soupe de gingembre frais,
épluché et râpé
1 cuil. à soupe de purée de tomates
1 cuil. à soupe de sucre roux

100 ml de jus d'orange
1 cuil. à café de maïzena
1 orange, épluchée et coupée
en quartiers
ciboulette fraîchement ciselée,
en garniture

1 Chauffer l'huile dans un grand wok préchauffé. Ajouter l'ail, l'oignon et les carottes, et faire revenir à feu vif 3 minutes, jusqu'à ce que les légumes soient tendres.

2 À l'aide d'un couteau tranchant, couper le poulet en fines lanières. Les ajouter au wok avec le gingembre frais et le gingembre en poudre, et faire revenir 10 minutes, jusqu'à ce que le poulet soit bien cuit et doré.

3 Mélanger dans une terrine la purée de tomates, le xérès, le sucre, le jus d'orange et la maïzena. Verser dans le wok et cuire jusqu'à ce que le tout commence à bouillir et que le jus commence à épaissir.

4 Ajouter les quartiers d'orange et retourner avec précaution pour les mélanger.

5 Remplir des bols chauds et garnir de ciboulette fraîche. Servir immédiatement.

CONSEIL

Veillez à arrêter la cuisson du plat dès que les quartiers d'orange ont été ajoutés à l'étape 4, pour éviter qu'ils ne se morcellent.

Sauté de poulet et de jeune chou à la sauce aux haricots jaune

4 personnes

INGRÉDIENTS

2 cuil. à soupe d'huile de tournesol

450 g de blanc de poulet,
   désossé et sans la peau

2 gousses d'ail, hachées

1 poivron vert

100 g de pois mange-tout

6 oignons verts, émincés,
   un peu plus en garniture

160 g de sauce aux haricots jaune

225 g de jeune chou ou de chou,
   émincé

50 g de noix de cajou, grillées

1 Chauffer l'huile de tournesol dans un grand wok préchauffé.

2 À l'aide d'un couteau tranchant, couper le poulet en fines tranches.

3 Faire revenir le poulet dans le wok avec l'ail 5 minutes, jusqu'à ce qu'il soit saisi de tous les côtés et commence à dorer.

4 À l'aide d'un couteau tranchant, épépiner le poivron vert et le couper en fines lanières.

5 Ajouter les pois mange-tout, les oignons, les lanières de poivron vert et le chou au poulet. Faire revenir 5 minutes, jusqu'à ce que les légumes soient juste tendres.

6 Ajouter en remuant la sauce aux haricots jaune et chauffer 2 minutes, jusqu'à ce que le mélange commence à bouillonner.

7 Ajouter les noix de cajou grillées.

8 Disposer le sauté sur des assiettes chaudes, garnir d'oignon vert selon son goût et servir immédiatement.

CONSEIL

N'utilisez pas de noix de cajou salées car la sauce l'est déjà légèrement, de sorte que l'association des deux rendrait le plat vraiment très salé.

Sauté de poulet, de poivron et d'orange

4 personnes

INGRÉDIENTS

3 cuil. à soupe d'huile de tournesol

350 g de cuisses de poulet, désossées, sans la peau et coupées en lanières

1 oignon, émincé

1 gousse d'ail, hachée

1 poivron rouge, épépiné et émincé

75 g de pois mange-tout

4 cuil. à soupe de sauce de soja claire

4 cuil. à soupe de xérès

zeste râpé et jus d'une orange

1 cuil. à soupe de purée de tomates

1 cuil. à café de maïzena

2 oranges

100 g de germes de soja

riz ou nouilles, cuits

1 Chauffer l'huile dans un grand wok préchauffé.

2 Ajouter les lanières de poulet et faire revenir 2 à 3 minutes, jusqu'à ce que la viande soit saisie.

3 Ajouter les rondelles d'oignon, le poivron, l'ail et les pois mange-tout, et faire revenir le tout 5 minutes, jusqu'à ce que les légumes soient juste tendres et le poulet parfaitement cuit.

4 Mélanger dans un verre gradué la sauce de soja, le xérès, la purée de tomates, le zeste et le jus d'orange et la maïzena.

5 Ajouter ce mélange au wok et remuer jusqu'à ce que le jus épaississe.

6 Éplucher et couper les oranges en quartiers.

7 Ajouter les quartiers d'orange et les germes de soja au mélange dans le wok et chauffer 2 minutes.

8 Disposer le sauté sur des assiettes et servir accompagné de riz ou de nouilles.

CONSEIL

Les germes de soja sont des pousses de haricot mungo. Élément de base de la cuisine chinoise, ils cuisent très rapidement et peuvent même être consommés crus.

Curry de poulet à la noix de coco

4 personnes

INGRÉDIENTS

2 cuil. à soupe d'huile de tournesol
ou 25 g de beurre clarifié
450 g de cuisse ou de blanc de poulet,
désossé et sans la peau
150 g de gombos
1 gros oignon, émincé
2 gousses d'ail, hachées

3 cuil. à soupe de pâte de curry douce
300 ml de bouillon de poulet
1 cuil. à soupe de jus de citron frais
100 ml de crème de noix de coco
175 g d'ananas frais ou en boîte,
coupé en cubes
150 ml de yaourt nature épais

2 cuil. à soupe de coriandre fraîche
hachée
riz nature, en accompagnement

GARNITURE
quartiers de citron
brins de coriandre fraîche

1 Chauffer l'huile de tournesol ou le beurre clarifié dans un grand wok préchauffé.

2 Couper le poulet en lanières, les mettre dans le wok et les cuire en remuant jusqu'à ce qu'elles soient dorées.

3 À l'aide d'un couteau tranchant, découper les gombos.

4 Ajouter l'oignon, l'ail et les gombos au poulet et cuire 2 à 3 minutes en remuant.

5 Mélanger la pâte de curry au bouillon et au jus de citron, et verser sur le mélange dans le wok. Porter à ébullition, couvrir et cuire à feu doux 30 minutes.

6 Râper la noix de coco, la mélanger au curry et cuire 5 minutes, pour lier la sauce.

7 Ajouter l'ananas, le yaourt et la coriandre et chauffer 2 minutes en remuant.

8 Garnir et servir chaud, accompagné de riz.

CONSEIL

Incisez le haut des gombos avant de les cuire pour éliminer la substance gluante et collante au goût amer qu'ils contiennent.

Poulet aigre-doux à la mangue

4 personnes

INGRÉDIENTS

1 cuil. à soupe d'huile de tournesol	2 gousses d'ail, hachées	1 cuil. à soupe de vinaigre de vin blanc
6 cuisses de poulet, désossées et sans la peau	225 g de poireau, émincé	2 cuil. à soupe de miel liquide
	100 g de germes de soja	2 cuil. à soupe de ketchup
1 mangue mûre	150 ml de jus de mangue	1 cuil. à café de maïzena

1 Chauffer l'huile de tournesol dans un grand wok préchauffé.

2 Couper le poulet en dés.

3 Faire revenir le poulet à feu vif 10 minutes en le retournant souvent jusqu'à ce qu'il soit parfaitement cuit et doré.

4 Éplucher et couper la mangue en tranches.

5 Ajouter la mangue, l'ail, les germes de soja et les poireaux au poulet et cuire 2 à 3 minutes, jusqu'à ce qu'ils aient ramolli.

6 Mélanger dans un verre gradué le jus de mangue, le vinaigre de vin blanc, le miel et le ketchup à la maïzena.

7 Verser le mélange au jus de mangue et à la maïzena dans le wok et faire revenir 2 minutes, jusqu'à ce que le jus commence à épaissir.

8 Disposer sur un plat chaud et servir immédiatement.

CONSEIL

Vous trouverez du jus de mangue en bocaux, épais et sucré, dans les supermarchés. Sinon, réduisez en purée et passez une mangue mûre, et ajoutez un peu d'eau pour obtenir la quantité voulue.

Sauté de poulet aux graines de cumin et trio de poivrons

4 personnes

INGRÉDIENTS

450 g de blanc de poulet, désossé et sans la peau	1 poivron rouge, épépiné et coupé en lanières	350 g de pak-choi ou autre chou vert
2 cuil. à soupe d'huile de tournesol	1 poivron vert, épépiné et coupé en lanières	2 cuil. à soupe de sauce au piment douce
1 gousse d'ail, hachée	1 poivron jaune, épépiné et coupé en lanières	3 cuil. à soupe de sauce de soja claire
1 cuil. à soupe de graines de cumin	100 g de germes de soja	gingembre frit et croustillant, en garniture (voir « conseil »)
1 cuil. à soupe de gingembre frais râpé		
1 piment rouge, épépiné et émincé		

1 Couper les blancs de poulet en fines lanières.

2 Chauffer l'huile dans un grand wok préchauffé.

3 Faire revenir le poulet dans le wok 5 minutes.

4 Ajouter l'ail, les graines de cumin, le piment et le gingembre en remuant pour bien mélanger le tout.

5 Ajouter les poivrons et faire revenir 5 minutes.

6 Ajouter en remuant les germes de soja et le pak-choi, mélanger à la sauce au piment douce et cuire jusqu'à ce que les feuilles de pak-choi commencent à sécher.

7 Verser dans des bols chauds et garnir de gingembre frit (voir « conseil »).

CONSEIL

Pour la garniture de gingembre frit, épluchez et coupez en tranches fines un gros morceau de gingembre frais. Jetez avec précaution les tranches de gingembre dans un wok ou une petite poêle d'huile chaude et cuisez 30 secondes. Retirez les morceaux à l'aide d'une écumoire, posez-les sur des feuilles de papier absorbant et égouttez-les soigneusement.

Sauté de poulet aux graines de cumin et trio de poivrons

4 personnes

INGRÉDIENTS

450 g de blanc de poulet, désossé et sans la peau

2 cuil. à soupe d'huile de tournesol

1 gousse d'ail, hachée

1 cuil. à soupe de graines de cumin

1 cuil. à soupe de gingembre frais râpé

1 piment rouge, épépiné et émincé

1 poivron rouge, épépiné et coupé en lanières

1 poivron vert, épépiné et coupé en lanières

1 poivron jaune, épépiné et coupé en lanières

100 g de germes de soja

350 g de pak-choi ou autre chou vert

2 cuil. à soupe de sauce au piment douce

3 cuil. à soupe de sauce de soja claire

gingembre frit et croustillant, en garniture (*voir* « conseil »)

1 Couper les blancs de poulet en fines lanières.

2 Chauffer l'huile dans un grand wok préchauffé.

3 Faire revenir le poulet dans le wok 5 minutes.

4 Ajouter l'ail, les graines de cumin, le piment et le gingembre en remuant pour bien mélanger le tout.

5 Ajouter les poivrons et faire revenir 5 minutes.

6 Ajouter en remuant les germes de soja et le pak-choi, mélanger à la sauce au piment douce et cuire jusqu'à ce que les feuilles de pak-choi commencent à sécher.

7 Verser dans des bols chauds et garnir de gingembre frit (*voir* « conseil »).

CONSEIL

Pour la garniture de gingembre frit, épluchez et coupez en tranches fines un gros morceau de gingembre frais. Jetez avec précaution les tranches de gingembre dans un wok ou une petite poêle d'huile chaude et cuisez 30 secondes. Retirez les morceaux à l'aide d'une écumoire, posez-les sur des feuilles de papier absorbant et égouttez-les soigneusement.

Poulet sauté au citron et graines de sésame

4 personnes

INGRÉDIENTS

4 blancs de poulet, désossés et sans la peau	2 cuil. à soupe d'huile	1 cuil. à soupe de sucre roux
1 blanc d'œuf	1 oignon, émincé	3 cuil. à soupe de lemon curd
25 g de graines de sésame	zeste finement râpé et jus d'un citron	200 g de châtaignes d'eau en boîte
		zeste de citron, en garniture

1 Placer les blancs de poulet entre 2 feuilles de film alimentaire et les aplatir à l'aide d'un rouleau à pâtisserie. Couper le poulet en fines lanières.

2 Battre le blanc d'œuf pour obtenir une neige légère et mousseuse.

3 Recouvrir les blancs de poulet de blanc d'œuf et de graines de sésame.

4 Chauffer l'huile dans un wok préchauffé.

5 Ajouter l'oignon et cuire 2 minutes, jusqu'à ce qu'il ait juste ramolli.

6 Ajouter les morceaux de poulet recouverts de sésame et de blanc d'œuf, et cuire 5 minutes, jusqu'à ce qu'ils soient bien dorés.

7 Mélanger le sucre, le zeste et le jus de citron et le lemon curd, et ajouter au poulet. Laisser la pâte au citron bouillir doucement sans remuer.

8 Égoutter les châtaignes d'eau et les couper en tranches fines. Les ajouter au mélange dans le wok et chauffer 2 minutes. Verser dans des bols, garnir de zeste de citron et servir chaud.

CONSEIL

Les châtaignes d'eau sont souvent ajoutées aux plats chinois pour leur croquant, mais elles n'ont pas un goût très prononcé.

Poulet rouge thaïlandais aux tomates cerises

4 personnes

INGRÉDIENTS

1 cuil. à soupe d'huile de tournesol

450 g de poulet, désossé et sans la peau

2 gousses d'ail, hachées

2 cuil. à soupe de pâte de curry rouge thaïe

1 cuil. à soupe de pâte de tamarin

2 cuil. à soupe de galangal ou de gingembre frais, râpé

4 feuilles de lime

225 g de patates douces

600 ml de lait de coco

225 g de tomates cerises, coupées en deux

3 cuil. à soupe de coriandre fraîche hachée

riz parfumé ou thaï, cuit, en accompagnement

1 Chauffer l'huile de tournesol dans un grand wok préchauffé.

2 Couper le poulet en tranches fines et cuire 5 minutes dans le wok.

3 Ajouter l'ail, la pâte de curry, le galangal ou le gingembre frais, le tamarin et les feuilles de lime et cuire 1 minute.

4 Peler et couper en dés les patates douces.

5 Ajouter le lait de coco et la patate douce dans le wok et porter à ébullition. Laisser bouillir à feu moyen 20 minutes, jusqu'à ce que le jus commence à épaissir et à réduire.

6 Ajouter les tomates cerises et la coriandre au curry et cuire 5 minutes en remuant de temps en temps. Disposer sur des assiettes et servir chaud accompagné de riz parfumé ou thaï.

CONSEIL

Le galangal est une épice qui remplace souvent le gingembre dans la cuisine thaïe. Il s'achète frais dans les commerces orientaux mais aussi sec et en poudre. La racine fraîche, moins piquante que le gingembre, doit être épluchée avant d'être coupée en tranches.

Poulet poivré sauté aux haricots mange-tout

4 personnes

INGRÉDIENTS

2 cuil. à soupe de ketchup	2 cuil. à soupe de grains de poivre	1 poivron vert
2 cuil. à soupe de sauce de soja	mélangés moulus	175 g de haricots mange-tout
450 g de blanc de poulet, désossé	2 cuil. à soupe d'huile de tournesol	2 cuil. à soupe de sauce d'huître
et sans la peau	1 poivron rouge	

1 Mélanger dans une terrine le ketchup et la sauce de soja.

2 Couper le poulet en fines lanières. Les passer dans le mélange de ketchup et de sauce de soja.

3 Saupoudrer les grains de poivres moulus sur une assiette. Passer le poulet dans les grains de poivre pour l'en recouvrir.

4 Chauffer l'huile de tournesol dans un wok préchauffé.

5 Faire revenir le poulet 5 minutes.

6 Épépiner et couper les poivrons en lanières.

7 Ajouter les poivrons et les haricots mange-tout dans le wok et faire revenir 5 minutes.

8 Ajouter la sauce d'huître et laisser bouillir 2 minutes. Verser dans des bols et servir immédiatement.

VARIANTE

Vous pouvez aussi utiliser des pois mange-tout à la place des haricots mange-tout.

Poulet sauté au miel et aux germes de soja

4 personnes

INGRÉDIENTS

2 cuil. à soupe de miel liquide	1 gousse d'ail, hachée	100 g de mini-épis de maïs,
3 cuil. à soupe de sauce de soja claire	8 cuisses de poulet	coupés en deux
1 cuil. à café de poudre de cinq-épices	1 cuil. à soupe d'huile de tournesol	8 oignons verts, émincés
1 cuil. à soupe de xérès doux	1 piment rouge	150 g de germes de soja

1 Mélanger dans une terrine le miel, la sauce de soja, la poudre de cinq-épices, le xérès et l'ail.

2 Pratiquer 3 incisions dans la peau de chaque cuisse de poulet. Enduire les cuisses de poulet de marinade au miel et au soja, et laisser reposer 30 minutes.

3 Chauffer l'huile dans un grand wok préchauffé.

4 Cuire le poulet à feu vif 12 à 15 minutes, jusqu'à ce qu'il dore et que sa peau commence à croustiller, et retirer du wok à l'aide d'une écumoire.

5 Épépiner et émincer finement le piment.

6 Ajouter dans le wok le piment, les épis de maïs, les oignons et les germes de soja et faire revenir 5 minutes.

7 Remettre le poulet dans le wok et bien mélanger tous les ingrédients jusqu'à cuisson complète.

8 Disposer sur des assiettes et servir immédiatement.

CONSEIL

La poudre de cinq-épices est un mélange aromatique que vous trouverez dans les supermarchés.

Poulet sauté aux noix de cajou et sauce aux haricots jaune

4 personnes

INGRÉDIENTS

450 g de blanc de poulet, désossé
2 cuil. à soupe d'huile
1 oignon rouge, émincé
100 g de noix de cajou

175 g de champignons de couche, émincés
75 g de sauce aux haricots jaune
coriandre fraîche, en garniture

riz cantonnais ou nature, en accompagnement

1 À l'aide d'un couteau tranchant, retirer éventuellement la peau des blancs de poulet et les couper en dés.

2 Chauffer l'huile dans un grand wok préchauffé.

3 Faire revenir le poulet 5 minutes.

4 Ajouter l'oignon rouge et les champignons, et faire revenir encore 5 minutes.

5 Poser les noix de cajou sur une plaque de four et les passer au four préchauffé à température moyenne, jusqu'à ce qu'elles dorent légèrement.

6 Ajouter les noix de cajou et la sauce de haricots jaune dans le wok, et laisser la sauce bouillir 2 à 3 minutes.

7 Verser dans des bols chauds et garnir de coriandre fraîche. Servir accompagné de riz.

CONSEIL

Pour un plat plus économique, vous pouvez utiliser des cuisses de poulet.

Poulet sauté au piment et basilic croquant

4 personnes

INGRÉDIENTS

8 pilons de poulet	100 g de carottes, en julienne	huile, pour la friture
2 cuil. à soupe de sauce de soja	6 branches de céleri, en julienne	environ 50 feuilles fraîches de basilic
1 cuil. à soupe d'huile de tournesol	3 cuil. à soupe de sauce au piment	
1 piment rouge	douce	

1 Retirer la peau des pilons de poulet. Pratiquer 3 incisions dans chacun et enduire de sauce de soja à l'aide d'un pinceau.

2 Chauffer l'huile dans un wok préchauffé et faire revenir les pilons 20 minutes en les retournant souvent jusqu'à ce qu'ils soient bien cuits.

3 Épépiner et hacher finement le piment, l'ajouter avec les carottes et le céleri au poulet, et cuire 5 minutes.

Ajouter en remuant la sauce au piment, couvrir et laisser bouillir doucement.

4 Chauffer l'huile dans une sauteuse et ajouter avec précaution les feuilles de basilic en se tenant éloigné de la poêle et en se protégeant la main des éclaboussures d'huile. Cuire 30 secondes, jusqu'à ce qu'elles commencent à s'enrouler sans brunir. Poser sur du papier absorbant pour les égoutter.

5 Disposer le poulet, les légumes et le jus

du wok sur un plat chaud et garnir de feuilles de basilic.

CONSEIL

Le goût fort du basilic convient parfaitement au poulet et aux saveurs asiatiques. Si vous préférez, utilisez des jeunes épinards à la place du basilic.

Poulet à l'ail sauté à la coriandre et au citron vert

4 personnes

INGRÉDIENTS

4 gros blancs de poulet, sans la peau
1 cuil. à soupe d'huile de tournesol
3 cuil. à soupe de coriandre fraîche
    ciselée, un peu plus en garniture

zeste finement râpé et jus
    de 2 citrons verts
25 g de sucre de palme
    ou de sucre roux

50 g de beurre à l'ail, en pommade
riz nature, cuit,
    en accompagnement

1 Placer chaque blanc de poulet entre 2 feuilles de film alimentaire et les aplatir à l'aide d'un rouleau à pâtisserie jusqu'à 1 cm d'épaisseur.

2 Mélanger le beurre à l'ail et la coriandre et en napper chaque blanc de poulet. Les enrouler et les fermer à l'aide d'une pique à cocktail.

3 Chauffer l'huile dans un wok et cuire les rouleaux 15 à 20 minutes en les retournant jusqu'à ce qu'ils soient bien tendres.

4 Retirer le poulet du wok et couper chaque rouleau en tranches.

5 Chauffer doucement dans le wok le zeste et le jus de citron vert, et le sucre en remuant le tout jusqu'à ce que le sucre soit dissous. Augmenter le feu et laisser bouillir 2 minutes.

6 Disposer le poulet sur des assiettes chaudes et recouvrir du jus du wok.

7 Garnir de coriandre fraîche ciselée selon son goût et servir.

CONSEIL

Assurez-vous que le poulet est bien cuit avant de le couper et de le servir. Pour en être sûr, cuisez-le à feu doux pour éviter de brûler l'extérieur en laissant l'intérieur cru.

Poulet sauté aux graines de cumin et aux aubergines

4 personnes

INGRÉDIENTS

5 cuil. à soupe d'huile de tournesol	450 g de blanc de poulet, désossé et sans la peau	1 cuil. à soupe de jus de citron frais
2 gousses d'ail, hachées		1/2 cuil. à café de sel
1 cuil. à soupe de graines de cumin	1 grosse aubergine, coupée en cubes	150 ml de yaourt nature
1 cuil. à soupe de poudre de curry doux	4 tomates, coupées en quartiers	1 cuil. à soupe de menthe fraîche
1 cuil. à soupe de paprika	100 ml de bouillon de poulet	ciselée

1 Chauffer 2 cuillerées à soupe d'huile de tournesol dans un grand wok préchauffé.

2 Faire revenir l'ail, les graines de cumin, le curry en poudre et le paprika 1 minute.

3 Couper les blancs de poulet en tranches fines.

4 Ajouter le reste d'huile dans le wok et faire revenir le poulet 5 minutes.

5 Ajouter les cubes d'aubergines, les tomates et le bouillon et porter à ébullition. Réduire le feu et cuire 20 minutes.

6 Ajouter en remuant le jus de citron, le sel et le yaourt et cuire à feu doux encore 5 minutes en remuant de temps en temps.

7 Verser dans des bols, parsemer de menthe fraîche ciselée et servir immédiatement.

CONSEIL

Une fois le yaourt ajouté, ne faites plus bouillir la sauce pour que le yaourt ne caille pas.

Sauté de poulet aux cacahuètes

4 personnes

INGRÉDIENTS

300 g de courgettes

250 g de mini-épis de maïs

300 g de champignons de Paris

250 g de vermicelle aux œufs

2 cuil. à soupe d'huile de maïs

1 cuil. à soupe d'huile de sésame

8 hauts de cuisse de poulet, désossés,
ou 4 blancs de poulet, émincés

350 g de germes de soja

4 cuil. à soupe de beurre
de cacahuètes

2 cuil. à soupe de sauce de soja

2 cuil. à soupe de jus de citron
ou de citron vert

60 g de cacahuètes grillées

poivre

coriandre fraîche, en garniture

1 Couper en rondelles
fines les courgettes
et les mini-épis de maïs,
et émincer les champignons.

2 Porter à ébullition
une casserole d'eau peu
salée et cuire le vermicelle
3 à 4 minutes. Chauffer
l'huile de maïs et l'huile
de sésame dans un grand
wok et faire revenir
le poulet 1 minute
à feu assez vif.

3 Ajouter les courgettes,
les champignons
et le maïs, et faire revenir
5 minutes.

4 Ajouter les germes
de soja, le beurre
de cacahuètes, la sauce
de soja et le jus de citron
ou de citron vert, et cuire
encore 2 minutes.

5 Égoutter le vermicelle,
disposer dans un plat
et parsemer de cacahuètes.
Servir avec le poulet,
les légumes sautés
et garni d'un brin
de coriandre fraîche.

CONSEIL

*Vous pouvez servir ce plat
avec du vermicelle de riz,
des pâtes rubans
translucides, faites
à base de farine de riz.*

Canard à la sauce hoisin, aux poireaux et au chou sauté

4 personnes

INGRÉDIENTS

4 magrets de canard	225 g de poireau, émincé	1 cuil. à café de graines de sésame
350 g de chou vert, coupé en fines lanières	zeste finement râpé d'une orange	grillées, pour décorer
	6 cuil. à soupe de sauce d'huître	

1 Chauffer un grand wok et faire revenir les magrets avec la peau 5 minutes de chaque côté, en deux fois, si nécessaire.

2 Retirer le canard du wok à l'aide d'une écumoire et le couper en tranches fines à l'aide d'un couteau tranchant.

3 Retirer la graisse de canard du wok en y laissant 1 cuillerée à soupe et jeter le reste.

4 À l'aide d'un couteau tranchant, couper le chou vert en fines lanières.

5 Faire revenir les poireaux, le chou et le zeste d'orange dans le wok 5 minutes, jusqu'à ce que les légumes aient ramolli.

6 Remettre le canard dans le wok et chauffer 2 à 3 minutes.

7 Verser un filet de sauce d'huître sur le canard. Retourner pour bien mélanger et chauffer.

8 Parsemer de graines de sésame grillées et servir chaud.

VARIANTE

Vous pouvez utiliser du chou chinois à la place du chou vert pour une saveur plus légère et plus douce.

Canard aux épis de maïs et à l'ananas

4 personnes

INGRÉDIENTS

4 magrets de canard	225 g de petits oignons, épluchés	6 oignons verts, émincés
1 cuil. à café de poudre	2 gousses d'ail, hachées	100 g de germes de soja
de cinq-épices	100 g de mini-épis de maïs	2 cuil. à soupe de sauce aux prunes
1 cuil. à soupe de maïzena	175 g de morceaux d'ananas frais	
1 cuil. à soupe d'huile pimentée	ou en boîte	

1 Retirer la peau des magrets et les couper en fines tranches.

2 Mélanger dans une terrine la poudre de cinq-épices et la maïzena.

3 Passer le canard dans le mélange de cinq-épices et de maïzena jusqu'à ce qu'il en soit parfaitement recouvert.

4 Chauffer l'huile dans un wok préchauffé et faire revenir le canard 10 minutes, jusqu'à ce qu'il commence juste à croustiller sur les bords.

5 Retirer le canard du wok et le réserver.

6 Faire revenir les oignons et l'ail dans le wok 5 minutes, jusqu'à ce que les oignons aient ramolli.

7 Ajouter les mini-épis de maïs et faire revenir encore 5 minutes.

8 Ajouter les oignons verts, l'ananas, et les germes de soja, et faire revenir 3 à 4 minutes. Ajouter en remuant la sauce aux prunes.

9 Remettre le canard et faire revenir en remuant pour que le tout soit bien mélangé. Disposer sur des assiettes chaudes et servir.

CONSEIL

Pour plus de fraîcheur, achetez des morceaux d'ananas dans leur jus naturel plutôt qu'au sirop. Sinon, rincez-les à l'eau courante et égouttez-les soigneusement avant usage.

Dinde sautée glacée aux airelles

2 à 3 personnes

INGRÉDIENTS

1 blanc de dinde

2 cuil. à soupe d'huile de tournesol

15 g de gingembre confit

50 g d'airelles fraîches ou surgelées

100 g de châtaignes en boîte

4 cuil. à soupe de sauce aux airelles

3 cuil. à soupe de sauce de soja claire

sel et poivre

1 Retirer toute la peau du blanc de dinde et le couper en tranches fines.

2 Chauffer l'huile dans un grand wok préchauffé.

3 Faire revenir la dinde 5 minutes, jusqu'à ce qu'elle soit bien cuite.

4 À l'aide d'un couteau tranchant, hacher finement le gingembre confit.

5 Ajouter le gingembre et les airelles à la dinde et faire revenir 2 à 3 minutes, jusqu'à ce que les airelles aient ramolli.

6 Ajouter les châtaignes, la sauce aux airelles et la sauce de soja, saler et poivrer, et laisser bouillir 2 à 3 minutes.

7 Disposer sur des assiettes chaudes et servir immédiatement.

CONSEIL

Il est très important que le wok soit très chaud avant de commencer à y faire revenir les aliments. Testez en plaçant la main à plat à environ 7,5 cm au-dessus du fond : vous devez sentir la chaleur rayonner.

CONSEIL

Pour une viande tendre et maigre, vous pouvez utiliser une escalope de dinde au lieu du blanc.

Bœuf et légumes sautés au xérès et à la sauce de soja

4 personnes

INGRÉDIENTS

2 cuil. à soupe d'huile de tournesol	150 g de germes de soja	SAUCE
350 g de filet de bœuf, coupé en lanières	1 poivron rouge, épépiné et émincé	3 cuil. à soupe de xérès demi-sec
1 oignon rouge, émincé	1 petite tête de chou chinois, coupée en lanières	3 cuil. à soupe de sauce de soja claire
175 g de courgettes, coupées en biais	225 g de pousses de bambou en boîte, égouttées	1 cuil. à soupe de gingembre en poudre
175 g de carottes, coupées en fines rondelles	150 g de noix de cajou, grillées	1 gousse d'ail, hachée
		1 cuil. à café de maïzena
		1 cuil. à soupe de purée de tomates

1 Chauffer l'huile de tournesol dans un grand wok préchauffé.

2 Faire revenir le bœuf et l'oignon 4 à 5 minutes, jusqu'à ce que l'oignon commence à ramollir et que la viande dore tout juste.

3 À l'aide d'un couteau tranchant, parer la courgette et la couper en biais.

4 Ajouter les carottes, le poivron et les courgettes dans le wok et faire revenir 5 minutes.

5 Ajouter en remuant le chou chinois, les germes de soja et les pousses de bambou, et chauffer 2 à 3 minutes, jusqu'à ce que le chou commence tout juste à flétrir.

6 Parsemer le sauté de noix de cajou.

7 Pour la sauce, mélanger le gingembre, le xérès, la sauce de soja, l'ail, la maïzena et la purée de tomates, verser sur le sauté et remuer pour bien mélanger. Laisser la sauce bouillir 2 à 3 minutes, jusqu'à ce que le jus commence à épaissir.

8 Disposer sur des assiettes chaudes et servir immédiatement.

Sauté de bœuf pimenté en salade

4 personnes

INGRÉDIENTS

450 g de rumsteck maigre

2 gousses d'ail, hachées

1 cuil. à café de poudre de piment

1 cuil. à café de coriandre en poudre

1 avocat mûr

2 cuil. à soupe d'huile de tournesol

425 g de haricots rouges
en boîte, égouttés

175 g de tomates cerises,
coupées en deux

1/2 cuil. à café de sel

1 grand paquet de chips de maïs

laitue pommée, coupée en lanières

coriandre fraîche, ciselée

1 À l'aide d'un couteau tranchant, couper le bœuf en lanières fines.

2 Mettre l'ail, le piment en poudre, le sel et la coriandre dans une terrine et bien mélanger le tout.

3 Ajouter les lanières de bœuf à la marinade et les retourner pour bien les enrober.

4 À l'aide d'un couteau tranchant, éplucher l'avocat. Le couper dans le sens de la longueur, puis de la largeur pour former de petits dés.

5 Chauffer l'huile dans un grand wok préchauffé, ajouter le bœuf et le faire revenir 5 minutes en remuant souvent.

6 Ajouter les haricots rouges, les tomates et l'avocat et chauffer 2 minutes.

7 Disposer un lit de chips de maïs et de laitue tout autour d'un grand plat et déposer le mélange au bœuf au centre. Une alternative consiste à servir les chips et la laitue séparément.

8 Garnir de coriandre fraîche ciselée selon son goût et servir immédiatement.

CONSEIL

Servez ce plat sans attendre car l'avocat a tendance à perdre rapidement de sa couleur. Pour éviter cela, arrosez-le d'un peu de jus de citron après l'avoir coupé en dés.

Sauté de bœuf mariné aux pousses de bambou et pois mange-tout

4 personnes

INGRÉDIENTS

350 g de rumsteck
3 cuil. à soupe de sauce
   de soja épaisse
1 cuil. à soupe de ketchup

2 gousses d'ail, hachées
1 cuil. à soupe de jus de citron frais
1 cuil. à.café de coriandre en poudre
2 cuil. à soupe d'huile

175 g de pois mange-tout
200 g de pousses de bambou
   en boîte
1 cuil. à café d'huile de sésame

1 À l'aide d'un couteau tranchant, couper la viande en tranches fines.

2 Mettre la viande dans une terrine non métallique avec la sauce de soja épaisse, le ketchup, l'ail, le jus de citron et la coriandre. Bien mélanger pour que toute la viande soit couverte de marinade, couvrir et laisser reposer au moins 1 heure.

3 Chauffer l'huile dans un wok préchauffé. Faire revenir la viande 2 à 4 minutes, selon le degré de cuisson souhaité, jusqu'à ce qu'elle soit bien cuite.

4 Ajouter les pois mange-tout et les pousses de bambou et faire revenir à feu vif encore 5 minutes en remuant souvent.

5 Verser un filet d'huile de sésame et bien remuer pour mélanger.

6 Disposer sur des assiettes et servir chaud.

CONSEIL

Laissez la viande mariner au moins 1 heure afin que les parfums de la marinade la pénètrent et la rendent plus tendre. Pour développer une saveur parfaite, laissez mariner plus longtemps.

Bœuf sauté aux petits oignons et au sucre de palme

4 personnes

INGRÉDIENTS

450 g de filet de bœuf
2 cuil. à soupe de sauce de soja
1 cuil. à café d'huile pimentée
1 cuil. à soupe de pâte de tamarin

2 cuil. à soupe de sucre de palme
ou de sucre roux
2 gousses d'ail, hachées
2 cuil. à soupe d'huile de tournesol

225 g de petits oignons
2 cuil. à soupe de coriandre fraîche
ciselée

1 Couper le bœuf en tranches fines.

2 Mettre les tranches de bœuf dans une grande terrine peu profonde et non métallique.

3 Mélanger la sauce de soja, l'huile pimentée, la pâte de tamarin, le sucre de palme et l'ail.

4 Verser le mélange sur le bœuf, bien remuer enrober la viande, couvrir et laisser mariner au moins 1 heure.

5 Chauffer l'huile de tournesol dans un wok préchauffé.

6 Éplucher les oignons, les couper en deux et les faire revenir 2 à 3 minutes, jusqu'à ce qu'ils dorent légèrement.

7 Ajouter le bœuf et la marinade et faire revenir à feu vif 5 minutes.

8 Saupoudrer de coriandre fraîche ciselée et servir immédiatement.

CONSEIL

Utilisez l'huile pimentée avec beaucoup de parcimonie car elle est très piquante.

Bœuf coco aux patates douces

4 personnes

INGRÉDIENTS

2 cuil. à soupe d'huile	1 oignon, émincé	300 ml de lait de coco
350 g de rumsteck	350 g de patates douces	3 feuilles de lime
2 gousses d'ail	2 cuil. à soupe de pâte de curry rouge thaïe	riz parfumé, cuit

1 Chauffer l'huile dans un wok préchauffé.

2 Couper le bœuf en tranches fines et le faire revenir 2 minutes, jusqu'à ce qu'il soit bien saisi.

3 Ajouter l'ail et l'oignon et faire revenir 2 minutes.

4 Éplucher et couper les patates douces en dés.

5 Ajouter les patates douces, la pâte de curry, le lait de coco et les feuilles de lime, et porter rapidement à ébullition. Réduire le feu, couvrir et cuire à feu doux 15 minutes, jusqu'à ce que les patates soient tendres.

6 Retirer les feuilles de lime et verser le sauté dans des bols chauds. Servir chaud accompagné de riz parfumé.

CONSEIL

La pâte de curry utilisée dans la cuisine thaïe existe en deux variétés – la rouge et la verte, selon qu'elle a été faite à partir de piments rouges ou verts.

CONSEIL

Vous pouvez utiliser du zeste de citron vert râpé à la place des feuilles de lime.

Bœuf aux petits pois et sauce de soja noire

4 personnes

INGRÉDIENTS

450 g de rumsteck	2 gousses d'ail, hachées	150 g de petits pois frais ou surgelés
2 cuil. à soupe d'huile de tournesol	1 bocal de sauce de soja noire	150 g de chou chinois,
1 oignon	de 160 g	coupé en lanières

1 À l'aide d'un couteau tranchant, retirer toute la graisse du bœuf et le couper en tranches fines.

2 Chauffer l'huile de tournesol dans un grand wok préchauffé.

3 Faire revenir le bœuf 2 minutes.

4 À l'aide d'un couteau tranchant, éplucher et couper l'oignon en rondelles.

5 Ajouter l'oignon, l'ail et les petits pois au bœuf et cuire 5 minutes.

6 Ajouter la sauce de soja noire et le chou chinois et cuire encore 2 minutes, jusqu'à ce que le chou chinois se soit flétri.

7 Remplir des bols chauds et servir immédiatement.

CONSEIL

Vous trouverez du chou chinois presque partout. Il ressemble à une tête de laitue pâle et allongée aux feuilles vert clair frisées et très serrées.

CONSEIL

La sauce de soja noire grumeleuse, donne encore plus de saveur au plat.

Bœuf à l'ail sauté aux graines de sésame et sauce de soja

4 personnes

INGRÉDIENTS

2 cuil. à soupe de graines de sésame	2 cuil. à soupe d'huile	6 oignons verts, émincés
450 g de filet de bœuf	4 gousses d'ail, hachées	nouilles, en accompagnement
1 poivron vert, épépiné et coupé	2 cuil. à soupe de xérès sec	
en fines lanières	4 cuil. à soupe de sauce de soja	

1 Chauffer un grand wok jusqu'à ce qu'il soit très chaud.

2 Faire revenir les graines de sésame 1 à 2 minutes, jusqu'à ce qu'elles commencent à brunir. Retirer et réserver.

3 Couper le bœuf en tranches fines.

4 Chauffer l'huile dans le wok et cuire le bœuf 2 à 3 minutes, jusqu'à ce qu'il soit saisi de tous les côtés.

5 Ajouter le poivron coupé en lanières et l'ail haché et cuire encore 2 minutes.

6 Ajouter le xérès, la sauce de soja, les oignons verts et laisser bouillir 1 minute en remuant.

7 Remplir des bols chauds du sauté de bœuf à l'ail et parsemer de graines de sésame grillées. Servir chaud accompagné de nouilles cuites à l'eau.

CONSEIL

Vous pouvez également disposer les graines de sésame sur une plaque du four et de les griller au gril préchauffé jusqu'à ce qu'elles soient bien dorées.

Bœuf teriyaki

4 personnes

INGRÉDIENTS

450 g de steaks extra fins
8 oignons verts, parés
    et coupés en petits tronçons
1 poivron jaune, épépiné et coupé
    en cubes
salade verte,
    en accompagnement

SAUCE
1 cuil. à café de maïzena
2 cuil. à soupe de xérès sec
2 cuil. à soupe de vinaigre
    de vin blanc
3 cuil. à soupe de sauce de soja
1 gousse d'ail, hachée

1 cuil. à soupe de sucre
    de canne brun
1/2 cuil. à café de cannelle
    en poudre
1/2 cuil. à café de gingembre
    en poudre

1 Mettre le bœuf dans une terrine non métallique peu profonde. Pour la sauce, mélanger la maïzena et le xérès, et incorporer les autres ingrédients. Verser la sauce sur la viande et laisser mariner au moins 2 heures.

2 Retirer la viande marinée de la sauce, réserver et verser la sauce dans une petite casserole.

3 Couper la viande en fines lanières et les piquer en accordéon sur des brochettes en bois préalablement trempées, en alternant avec les morceaux de poivron et d'oignons.

4 Chauffer la sauce en remuant de temps en temps. Cuire les brochettes 5 à 8 minutes au barbecue, au-dessus de braises très chaudes, retourner et badigeonner souvent avec la sauce.

5 Disposer les brochettes dans des assiettes et arroser avec la sauce restante. Garnir de salade verte et servir immédiatement.

CONSEIL

Si vous manquez de temps, ne faites pas mariner la viande, cependant, elle ne sera pas aussi savoureuse.

Sauté de filet de porc
à la sauce satay croquante

4 personnes

INGRÉDIENTS

150 g de carottes, pelées

2 cuil. à soupe d'huile de tournesol

350 g de filet de porc dans l'échine, coupé en fines lamelles

1 oignon, émincé

2 gousses d'ail, hachées

1 poivrón jaune, coupé en lanières

150 g de pois mange-tout

75 g de petites asperges vertes

cacahuètes salées, concassées

SAUCE SATAY

6 cuil. à soupe de lait de coco

6 cuil. à soupe de beurre de cacahuètes aux éclats de cacahuètes

1 cuil. à café de piment en flocons

1 gousse d'ail, hachée

1 cuil. à café de purée de tomates

1 À l'aide d'un couteau tranchant, couper les carottes en julienne.

2 Chauffer l'huile dans un grand wok et faire revenir le porc, l'oignon et l'ail 5 minutes, jusqu'à ce que la viande soit bien cuite.

3 Ajouter les carottes, le poivron, les pois mange-tout et les asperges et faire revenir 5 minutes.

4 Pour la sauce satay, mettre le beurre de cacahuètes, le lait de coco, les flocons de piment, l'ail et la purée de tomates dans une petite poêle et chauffer en remuant jusqu'à ce que le tout soit bien mélangé.

5 Transférer sur des assiettes chaudes. Verser la sauce satay par-dessus et parsemer de morceaux de cacahuètes. Servir immédiatement.

CONSEIL

Cuisez la sauce juste avant de servir car elle a tendance à vite épaissir et ne pourra plus être correctement versée si elle a été cuite à l'avance.

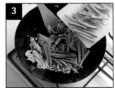

Porc croustillant au cinq-épices et riz cantonais

4 personnes

INGRÉDIENTS

275 g de riz long grain blanc
600 ml d'eau froide
350 g de filet de porc
2 cuil. à café de poudre
de cinq-épices
4 cuil. à soupe de maïzena

3 gros œufs, dont 2 battus
2 cuil. à soupe de sucre roux
2 cuil. à soupe d'huile de tournesol
1 oignon
2 gousses d'ail, hachées
100 g de carottes, coupées en dés

1 poivron rouge, épépiné
et coupé en dés
100 g de petits pois
15 g de beurre
sel et poivre

1 Rincer le riz à l'eau courante. Le mettre dans une casserole, avec l'eau froide et une pincée de sel. Porter à ébullition, couvrir, réduire le feu et cuire à feu doux 9 minutes, jusqu'à ce que le liquide ait été complètement absorbé et que le riz soit tendre.

2 Couper le filet de porc en très fines lanières et réserver.

3 Battre ensemble la poudre de cinq-épices, la maïzena, le sucre roux et 1 œuf. Passer le porc dans ce mélange pour qu'il en soit bien enrobé.

4 Chauffer l'huile dans un grand wok et cuire le porc à feu vif, jusqu'à ce qu'il soit bien cuit et croustillant. Retirer du wok à l'aide d'une écumoire et réserver.

5 Couper l'oignon en petits dés.

6 Faire revenir l'oignon, l'ail, les carottes, le poivron et les petits pois dans le wok 5 minutes.

7 Remettre le porc dans le wok avec le riz cuit et faire revenir 5 minutes.

8 Chauffer le beurre dans une poêle. Ajouter les 2 œufs battus et cuire jusqu'à ce qu'ils prennent. Couper l'omelette en tranches fines sur une planche. Ajouter les tranches d'omelette au mélange de riz et servir immédiatement.

Boulettes de porc épicées

4 personnes

INGRÉDIENTS

450 g de porc, haché
2 échalotes, finement hachées
2 gousses d'ail, hachées
1 cuil. à café de graines de cumin
1/2 cuil. à café de poudre de piment

25 g de chapelure de pain complet
1 œuf, battu
2 cuil. à soupe d'huile de tournesol
400 g de tomates concassées
    en boîte, assaisonnées au piment

2 cuil. à soupe de sauce de soja
200 g de châtaignes d'eau
    en boîte, égouttées
3 cuil. à soupe de coriandre fraîche
    ciselée

1 Mettre la viande dans une terrine. Ajouter les échalotes, l'ail, les grains de cumin, le piment, la chapelure et l'œuf battu, et bien mélanger.

2 Former des boulettes du mélange entre les paumes des mains.

3 Chauffer l'huile de tournesol dans un wok préchauffé. Faire revenir plusieurs boulettes de porc à la fois à feu vif 5 minutes, jusqu'à ce qu'elles soient saisies de tous les côtés.

4 Ajouter les tomates, la sauce de soja et les châtaignes d'eau, et porter à ébullition. Ajouter les boulettes, réduire le feu et cuire 15 minutes.

5 Parsemer de coriandre fraîche et servir chaud.

CONSEIL

Vous pouvez aussi ajouter quelques cuillerées à café de sauce au piment à une boîte de tomates concassées.

CONSEIL

La coriandre est aussi connue sous le nom de persil chinois mais son goût est beaucoup plus fort que le persil et elle doit être utilisée avec parcimonie. À défaut de coriandre, prenez du basilic.

Porc aigre-doux

4 personnes

INGRÉDIENTS

450 g de filet de porc	225 g de carottes, en julienne	150 ml de jus d'ananas
2 cuil. à soupe d'huile de tournesol	100 g de mini-épis de maïs	1 cuil. à soupe de maïzena
225 g de courgettes	100 g de champignons de Paris,	2 cuil. à soupe de sauce de soja
1 oignon rouge, coupé	coupés en deux	3 cuil. à soupe de ketchup
en fins quartiers	175 g d'ananas frais, coupé	1 cuil. à soupe de vinaigre
2 gousses d'ail, hachées	en cubes	de vin blanc
1 poivron rouge, coupé en lanières	100 g de germes de soja	1 cuil. à soupe de miel blond

1 Couper le filet de porc en fines tranches.

2 Chauffer l'huile dans un grand wok préchauffé.

3 Cuire le porc dans le wok 10 minutes, jusqu'à ce qu'il soit bien cuit et commence à devenir croustillant sur les bords.

4 Couper les courgettes en julienne.

5 Ajouter au porc l'oignon, les carottes, l'ail, les courgettes, les épis de maïs, les champignons et le poivron, et cuire encore 5 minutes.

6 Ajouter les cubes d'ananas et les germes de soja et cuire 2 minutes.

7 Mélanger le jus d'ananas, la maïzena, la sauce de soja, le ketchup, le vinaigre de vin et le miel.

8 Verser le mélange dans le wok et cuire à feu vif en retournant souvent jusqu'à ce que le jus épaississe. Transférer le porc aigre-doux dans des bols et servir chaud.

CONSEIL

Pour que le porc soit plus croustillant, vous pouvez aussi le passer dans un mélange de maïzena et de blanc d'œuf avant de le frire comme à l'étape 3.

Porc double-cuisson aux poivrons

4 personnes

INGRÉDIENTS

15 g de champignons chinois séchés	1 poivron rouge, épépiné	1 poivron jaune, épépiné
450 g de rouelles de porc	et coupé en dés	et coupé en dés
2 cuil. à soupe d'huile	1 poivron vert, épépiné	4 cuil. à soupe de sauce d'huître
1 oignon, émincé	et coupé en dés	

1 Mettre les champignons dans une grande terrine. Les recouvrir d'eau bouillante et laisser reposer 20 minutes.

2 À l'aide d'un couteau tranchant, retirer tout le gras du porc et le couper en lamelles fines.

3 Porter à ébullition une grande casserole d'eau, mettre le porc dans l'eau bouillante et cuire 5 minutes.

4 Retirer le porc de la casserole à l'aide d'une écumoire et l'égoutter soigneusement.

5 Chauffer l'huile dans un grand wok préchauffé et faire revenir le porc 5 minutes.

6 Retirer les champignons de l'eau et les égoutter soigneusement. Les couper grossièrement en morceaux.

7 Ajouter l'oignon, les champignons et les poivrons au porc et faire revenir 5 minutes.

8 Verser la sauce d'huître dans le wok en remuant et cuire 2 à 3 minutes. Remplir des bols et servir.

VARIANTE

Vous pouvez remplacer les champignons chinois par des champignons de couche émincés.

Porc au mooli

4 personnes

INGRÉDIENTS

4 cuil. à soupe d'huile	225 g de mooli (radis blanc)	2 cuil. à soupe de sauce au piment
450 g de filet de porc	2 gousses d'ail, hachées	douce
1 aubergine	3 cuil. à soupe de sauce de soja	

1 Chauffer 2 cuillerées à soupe d'huile dans un grand wok préchauffé.

2 À l'aide d'un couteau tranchant, couper le porc en tranches fines.

3 Faire revenir les tranches de porc dans le wok 5 minutes.

4 Parer l'aubergine et la couper en dés. Éplucher et couper le mooli en tranches.

5 Ajouter le reste d'huile dans le wok chaud.

6 Ajouter les dés d'aubergine et l'ail et faire revenir 5 minutes.

7 Ajouter le mooli et cuire 2 minutes.

8 Ajouter en remuant la sauce de soja et la sauce au piment douce, et cuire jusqu'à ce que le tout soit bien cuit.

9 Remplir des bols chauds de porc au mooli et servir immédiatement.

CONSEIL

Le mooli (radis blanc) est un légume long et blanc très courant dans la cuisine chinoise. On le trouve dans la plupart des grands supermarchés. Il est généralement râpé et son goût est plus doux que celui du radis rose.

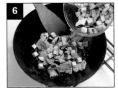

Agneau à la sauce satay

4 personnes

INGRÉDIENTS

450 g de filet d'agneau	1/2 cuil. à café de poudre de piment	6 cuil. à soupe de beurre
1 cuil. à soupe de pâte de curry douce	1/2 cuil. à café de cumin en poudre	de cacahuètes croquant
150 ml de lait de coco	1 cuil. à soupe d'huile de maïs	1 cuil. à café de purée de tomates
2 gousses d'ail, hachées	1 oignon, coupé en dés	1 cuil. à café de jus de citron vert frais

1 Couper l'agneau en tranches fines et réserver dans une grande terrine.

2 Mélanger dans une terrine la pâte de curry, le lait de coco, l'ail, la poudre de piment et le cumin.

3 Verser sur l'agneau, bien mélanger, couvrir et laisser mariner 30 minutes.

4 Pour la sauce satay, chauffer l'huile dans un grand wok et faire revenir l'oignon 5 minutes. Réduire le feu et cuire 5 minutes.

5 Ajouter le beurre de cacahuètes, la purée de tomates, le jus de citron vert et 100 ml d'eau froide dans le wok et mélanger.

6 Réserver la marinade et piquer la viande sur des brochettes en bois.

7 Faire rôtir les brochettes au gril chaud 6 à 8 minutes en les retournant une fois.

8 Ajouter la marinade dans le wok, porter à ébullition et cuire 5 minutes. Servir les brochettes d'agneau avec la sauce satay.

CONSEIL

Pour éviter qu'elles ne brûlent, trempez les brochettes dans l'eau froide 30 minutes avant d'y piquer les morceaux.

Agneau sauté à la sauce de soja noire et aux poivrons

4 personnes

INGRÉDIENTS

450 g de filet de collet d'agneau ou de gigot, désossé	3 cuil. à soupe d'huile de tournesol	1 poivron jaune ou orange, épépiné et coupé en lanières
1 blanc d'œuf, légèrement battu	1 oignon rouge	5 cuil. à soupe de sauce de soja noire
25 g de maïzena	1 poivron rouge, épépiné et coupé en lanières	riz nature ou nouilles, en accompagnement
1 cuil. à café de poudre de cinq-épices	1 poivron vert, épépiné et coupé en lanières	

1 Couper l'agneau en lanières très fines.

2 Mélanger dans une terrine le blanc d'œuf, la maïzena et la poudre de cinq-épices. Passer les lanières d'agneau dans ce mélange pour les enrober.

3 Chauffer l'huile dans un grand wok préchauffé. Faire revenir l'agneau à feu vif 5 minutes, jusqu'à ce que les bords commencent à croustiller.

4 Émincer finement l'oignon rouge, l'ajouter avec le poivron dans le wok et cuire 5 à 6 minutes, jusqu'à ce que les légumes commencent à ramollir.

5 Chauffer en remuant avec la sauce de soja noire.

6 Remplir des assiettes chaudes d'agneau et de sauce et servir chaud, accompagné de riz fraîchement cuit à l'eau ou de nouilles.

CONSEIL

Veillez, en faisant revenir l'agneau, à ce que le mélange à base de maïzena ne colle pas au wok. Pour cela, remuez sans arrêt l'agneau dans le wok.

Sauté d'oignons verts et d'agneau à la sauce d'huître

4 personnes

INGRÉDIENTS

450 g de tranches de gigot d'agneau	2 gousses d'ail, hachées	6 cuil. à soupe de sauce d'huître
1 cuil. à café de poivre du Sichuan	8 oignons verts, émincés	175 g de chou chinois
1 cuil. à soupe d'huile d'arachide	2 cuil. à soupe de sauce de soja épaisse	chips de crevettes, en accompagnement

1 À l'aide d'un couteau tranchant, retirer tout le gras de l'agneau et le couper en tranches fines.

2 Saupoudrer la viande du poivre moulu et bien mélanger.

3 Chauffer l'huile dans un wok préchauffé et faire revenir l'agneau 5 minutes.

4 Mélanger l'ail, la sauce de soja et les oignons. Ajouter le tout au wok et cuire 2 minutes.

5 Ajouter la sauce aux huîtres et le chou chinois et faire revenir 2 minutes, jusqu'à ce que le chou ait flétri et que le jus bouillonne.

6 Remplir des bols chauds de sauté et servir chaud avec des chips de crevettes.

CONSEIL

La sauce aux huîtres est faite à partir d'huîtres cuites dans l'eau salée et de sauce de soja. Elle est vendue en bouteilles et se conserve plusieurs mois.

CONSEIL

Les chips de crevettes se composent de miettes de crevettes compressées et de pâte à la farine. Elles se dilatent à la friture.

Curry d'agneau
aux pommes de terre

4 personnes

INGRÉDIENTS

450 g de pommes de terre, en dés	3 cuil. à soupe d'huile de tournesol	1 cuil. à soupe de gingembre frais râpé
450 g d'agneau maigre, en cubes	1 oignon, émincé	150 ml de bouillon d'agneau ou de bœuf
2 cuil. à soupe de pâte de curry semi-forte	1 aubergine, coupée en dés	2 cuil. à soupe de coriandre fraîche ciselée
	2 gousses d'ail, hachées	

1 Porter à ébullition une grande casserole d'eau légèrement salée. Ajouter les pommes de terre et cuire 10 minutes. Retirer de la casserole à l'aide d'une écumoire et égoutter.

2 Mettre l'agneau dans une grande terrine, ajouter la pâte de curry et bien mélanger.

3 Chauffer l'huile dans un grand wok préchauffé.

4 Faire revenir l'ail, l'aubergine, l'oignon, et le gingembre 5 minutes.

5 Ajouter l'agneau et faire revenir encore 5 minutes.

6 Ajouter le bouillon et les pommes de terre cuites, porter à ébullition et cuire à feu doux 30 minutes, jusqu'à ce que l'agneau soit tendre et bien doré.

7 Verser le sauté sur des assiettes chaudes et saupoudrer de coriandre fraîche. Servir immédiatement.

CONSEIL

Le wok est une invention chinoise ancienne dont le nom vient du cantonais et signifie « récipient à cuire ».

Agneau aillé à la sauce de soja

4 personnes

INGRÉDIENTS

450 g de filet d'agneau	3 cuil. à soupe de xérès sec	1 cuil. à café de maïzena
2 gousses d'ail	ou d'alcool de riz	2 cuil. à soupe d'eau froide
2 cuil. à soupe d'huile d'arachide	3 cuil. à soupe de sauce de soja noire	25 g de beurre

1 Pratiquer de petites incisions dans le filet d'agneau.

2 Éplucher les gousses d'ail et les couper en tranches.

3 Introduire les tranches d'ail à l'intérieur des incisions pratiquées dans l'agneau et le mettre dans un plat peu profond.

4 Verser en filet une cuillerée à soupe d'huile, une de xérès et une de sauce de soja sur l'agneau, couvrir et laisser mariner au moins 1 heure, de préférence toute la nuit.

5 Couper l'agneau mariné en tranches fines.

6 Chauffer le reste d'huile dans un wok préchauffé. Faire revenir l'agneau 5 minutes.

7 Ajouter la marinade et le reste de xérès et de sauce de soja dans le wok et laisser le jus bouillir 5 minutes.

8 Mélanger la maïzena et l'eau froide. Ajouter le mélange dans le wok et cuire en remuant de temps en temps jusqu'à ce que le jus commence à épaissir.

9 Couper le beurre en dés, les ajouter dans le wok et mélanger jusqu'à ce que le beurre ait fondu. Verser sur des assiettes et servir.

CONSEIL

Le beurre permet d'obtenir une sauce onctueuse, délicieuse avec l'agneau.

Agneau thaï aux feuilles de lime

4 personnes

INGRÉDIENTS

2 piments rouges thaïlandais	6 feuilles de lime	175 g de tomates cerises, coupées
2 cuil. à soupe d'huile d'arachide	1 cuil. à soupe de pâte de tamarin	en deux
2 gousses d'ail, hachées	25 g de sucre de palme	1 cuil. à soupe de coriandre fraîche
4 échalotes, hachées	450 g d'agneau maigre (filet ou gigot)	ciselée
2 tiges de lemon-grass, émincées	600 ml de lait de coco	riz parfumé, en accompagnement

1 Épépiner et émincer finement les piments rouges thaïlandais.

2 Chauffer l'huile d'arachide dans un grand wok préchauffé.

3 Faire revenir l'ail, les échalotes, le lemon-grass, les feuilles de lime, la pâte de tamarin, le sucre de palme et les piments 2 minutes.

4 Couper l'agneau en lanières ou en cubes.

5 Ajouter l'agneau dans le wok et faire revenir

5 minutes en le retournant soigneusement pour qu'il soit totalement enrobé du mélange d'épices.

6 Verser le lait de coco dans le wok et porter à ébullition. Réduire le feu et cuire 20 minutes.

7 Ajouter les tomates cerises et la coriandre fraîche et cuire à feu doux 5 minutes. Remplir des assiettes et servir chaud, accompagné de riz parfumé.

CONSEIL

Les citrons verts thaïlandais, appelés lime ou makut, possèdent des fruits ronds et des feuilles fortement parfumées, souvent utilisées dans la cuisine pour leur saveur.

Agneau sauté à l'orange

4 personnes

INGRÉDIENTS

450 g d'agneau, haché	1 oignon rouge, émincé	1 orange, pelée et coupée
2 gousses d'ail, hachées	zeste finement râpé et jus	en quartiers
1 cuil. à café de graines de cumin	d'une orange	sel et poivre
1 cuil. à café de coriandre en poudre	2 cuil. à soupe de sauce de soja	ciboulette fraîche ciselée, en garniture

1 Mettre l'agneau haché dans un wok préchauffé. Faire revenir sans ajout de graisse 5 minutes, jusqu'à ce que la viande soit bien dorée. Retirer toute graisse superflue du wok.

2 Ajouter l'ail, les graines de cumin, la coriandre et l'oignon rouge, et faire revenir encore 5 minutes.

3 Ajouter en remuant la sauce de soja, le zeste et le jus d'orange, couvrir, réduire le feu et cuire à feu doux 15 minutes en remuant de temps en temps.

4 Retirer le couvercle, augmenter le feu, ajouter les quartiers d'orange, le sel et le poivre, et chauffer 2 à 3 minutes.

5 Disposer sur des assiettes chaudes, garnir de ciboulette fraîche et servir immédiatement.

VARIANTE

Vous pouvez remplacer l'orange par du citron ou du citron vert.

CONSEIL

Avec ce plat, essayez un vin blanc léger et sec ou un vin rouge léger de style bourgogne, les deux s'associent bien à la cuisine orientale.

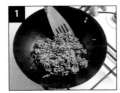

Foie d'agneau aux poivrons verts et xérès

4 personnes

INGRÉDIENTS

450 g de foie d'agneau
3 cuil. à soupe de maïzena
2 cuil. à soupe d'huile d'arachide
1 oignon, émincé

2 gousses d'ail, hachées
2 poivrons verts, épépinés
   et coupés en lanières
2 cuil. à soupe de purée de tomates

3 cuil. à soupe de xérès sec
2 cuil. à soupe de sauce de soja

1 Retirer tout le gras superflu des foies d'agneau et les couper en tranches fines.

2 Mettre 2 cuillerées à soupe de maïzena dans une grande terrine.

3 Ajouter les tranches de foie d'agneau et les recouvrir de maïzena sur tous les côtés.

4 Chauffer l'huile d'arachide dans un grand wok préchauffé.

5 Faire revenir la viande, l'oignon, l'ail et le poivron vert 6 à 7 minutes, jusqu'à ce que le foie d'agneau soit juste cuit et les légumes tendres.

6 Mélanger la purée de tomates, le xérès, 1 cuillerée à soupe de maïzena et la sauce de soja. Verser ce mélange dans le wok en remuant et cuire encore 2 minutes, jusqu'à ce que le jus épaississe. Verser dans des bols chauds et servir immédiatement.

VARIANTE

Pour obtenir un goût plus oriental, utilisez de l'alcool de riz plutôt que du xérès. L'alcool de riz est fait à partir de riz gluant et connu sous le nom de « vin jaune » à cause de sa couleur dorée. La meilleure variété du Sud-Est chinois s'appelle Shao Hsing *ou* Shaoxing.

Poulet au piment

4 personnes

INGRÉDIENTS

350 g de poulet, désossé
et sans la peau
1/2 cuil. à soupe de sel
1 blanc d'œuf, légèrement battu
2 cuil. à soupe de maïzena
2 cuil. à soupe d'huile
2 gousses d'ail, hachées

1 morceau de gingembre frais
de 1,5 cm, râpé
1 poivron rouge, épépiné
et coupé en dés
1 poivron vert, épépiné
et coupé en dés
2 piments rouges frais, hachés

2 cuil. à soupe de sauce
de soja claire
1 cuil. à soupe de xérès
ou d'alcool de riz
1 cuil. à soupe de vinaigre de vin

1 Couper le poulet en dés et le mettre dans une terrine. Ajouter la maïzena, le blanc d'œuf, le sel et 1 cuillerée à soupe d'huile et remuer pour que le poulet soit bien enrobé du mélange.

2 Chauffer l'huile restante dans un wok préchauffé. Ajouter l'ail et le gingembre et faire revenir 30 secondes.

3 Ajouter le poulet dans le wok et cuire 2 à 3 minutes pour qu'il dore.

4 Incorporer les poivrons, les piments, la sauce de soja, le xérès ou l'alcool de riz et le vinaigre de vin et cuire 2 à 3 minutes, jusqu'à ce que le poulet soit bien cuit. Disposer dans un plat de service et servir.

VARIANTE

*Vous pouvez remplacer
le poulet par 350 g
de bœuf maigre,
coupé en lanières,
ou 450 g de crevettes.*

CONSEIL

*Avant de manipuler
des piments, mettez des
gants en plastique pour
éviter que leur jus ne vous
irrite les mains. Lavez-vous
bien les mains avant de vous
toucher le visage, surtout
les yeux et la bouche.*

Poulet au citron

4 personnes

INGRÉDIENTS

huile, pour la friture	SAUCE
650 g de poulet, sans la peau et coupé en lanières	1 cuil. à soupe de maïzena
	6 cuil. à soupe d'eau
citron, coupé en rondelles, et oignon vert, ciselé, en garniture	3 cuil. à soupe de jus de citron frais
	2 cuil. à soupe de xérès doux
	½ cuil. à café de sucre

1 Chauffer l'huile dans un wok préchauffé jusqu'à ce qu'elle soit très chaude, réduire le feu et faire frire le poulet 3 à 4 minutes, jusqu'à ce qu'il soit complètement cuit. Retirer à l'aide d'une écumoire, réserver au chaud et jeter l'huile de friture.

2 Pour la sauce, délayer la maïzena dans 2 cuillerées à soupe d'eau pour former une pâte.

3 Verser le jus de citron et 4 cuillerées à soupe d'eau dans le wok. Ajouter le xérès et le sucre, en remuant, jusqu'à dissolution du sucre.

4 Incorporer la pâte de maïzena et porter de nouveau à ébullition. Réduire le feu et cuire 2 à 3 minutes, en remuant, jusqu'à ce que la sauce ait épaissi et soit onctueuse.

5 Disposer le poulet sur un plat de service chaud, arroser avec la sauce, et garnir de citron et d'oignon vert.

CONSEIL

Si vous découpez le poulet en morceaux plutôt qu'en lamelles, il faudra le faire cuire dans l'huile à couvert pendant 30 minutes et à feu doux.

Poulet braisé

4 personnes

INGRÉDIENTS

1 poulet de 1,5 kg
3 cuil. à soupe d'huile
1 cuil. à soupe d'huile d'arachide
2 cuil. à soupe de sucre roux

5 cuil. à soupe de sauce
de soja épaisse
150 ml d'eau
2 gousses d'ail, hachées

1 petit oignon, émincé
1 piment rouge frais, émincé
feuilles de céleri et ciboulette,
en garniture

1 Bien essuyer l'intérieur et l'extérieur du poulet avec du papier absorbant.

2 Verser l'huile dans un wok et faire caraméliser le sucre à feu doux. Ajouter la sauce de soja et le poulet, et remuer pour bien enrober la viande.

3 Ajouter l'eau, l'ail, l'oignon et le piment. Couvrir et laisser mijoter 1 heure en retournant le poulet de temps en temps, jusqu'à ce qu'il soit cuit. Vérifier le degré de cuisson en piquant une cuisse avec la pointe d'un couteau ou d'une brochette : le jus qui s'écoule doit être clair.

4 Retirer le poulet du wok et réserver. Augmenter le feu et laisser la sauce épaissir. Disposer le poulet sur un plat, garnir de feuilles de céleri et de ciboulette. Servir avec la sauce.

CONSEIL

Le sucre doit être caramélisé à feu doux, sinon il pourrait brûler.

VARIANTE

Pour obtenir une sauce plus relevée, vous pouvez ajouter au piment (étape 3) 1 cuillerée à soupe de gingembre frais râpé et 1 cuillerée à soupe de poivre du Sichuan. Pour une sauce moins forte, remplacez 2 des cuillerées de sauce de soja épaisse par 3 cuillerées de sauce de soja claire. Vous obtiendrez une saveur plus délicate sans perdre la couleur du plat.

Poulet aux noix de cajou et aux légumes

4 personnes

INGRÉDIENTS

300 g de blanc de poulet
1 cuil. à soupe de maïzena
1 cuil. à café d'huile de sésame
1 cuil. à soupe de sauce hoisin
1 cuil. à café de sauce
    de soja claire
3 gousses d'ail, hachées
2 cuil. à soupe d'huile

75 g de noix de cajou sans sel
25 g de pois mange-tout
1 branche de céleri, émincée
1 oignon, coupé en huit
60 g de germes de soja
1 poivron rouge, épépiné
    et coupé en dés

SAUCE
2 cuil. à café de maïzena
2 cuil. à soupe de sauce hoisin
200 ml de bouillon de poulet

1 Dégraisser les blancs de poulet et les couper en fines lanières. Les placer dans une terrine, saupoudrer de maïzena et secouer pour que le poulet en soit bien enrobé. Mélanger l'huile de sésame, la sauce hoisin, la sauce de soja et 1 gousse d'ail dans une terrine, verser le mélange sur le poulet en remuant pour qu'il en soit bien enrobé. Laisser mariner 20 minutes.

2 Chauffer la moitié de l'huile dans un wok préchauffé et faire revenir les noix de cajou 1 minute, jusqu'à ce qu'elles brunissent. Ajouter les pois, le céleri, le poivron rouge, l'oignon, les germes de soja et le reste d'ail et cuire 2 à 3 minutes en remuant souvent. Retirer les légumes à l'aide d'une écumoire et réserver au chaud.

3 Chauffer le reste d'huile dans le wok. Retirer le poulet de la marinade et le faire revenir 3 à 4 minutes. Remettre les légumes dans le wok.

4 Mélanger la maïzena, la sauce hoisin et le bouillon dans une terrine et verser dans le wok. Porter à ébullition en remuant, pour que le mélange épaississe et soit onctueux. Servir.

Poulet chop suey

4 personnes

INGRÉDIENTS

4 cuil. à soupe de sauce
de soja claire

2 cuil. à café de sucre roux

500 g de blanc de poulet,
sans la peau

3 cuil. à soupe d'huile

2 oignons, coupés en quartiers

2 gousses d'ail, hachées

350 g de germes de soja

3 cuil. à café d'huile de sésame

1 cuil. à café de maïzena

3 cuil. à soupe d'eau

425 ml de bouillon de poulet

poireau ciselé, en garniture

1 Mélanger la sauce de soja et le sucre, jusqu'à dissolution du sucre.

2 Découper le poulet en fines lanières. Mettre la viande dans une terrine creuse, arroser avec la sauce de soja et laisser mariner au réfrigérateur 20 minutes.

3 Chauffer l'huile dans un wok et faire dorer le poulet 2 à 3 minutes.

4 Ajouter les oignons, l'ail et cuire 2 minutes. Incorporer les germes de soja, cuire 4 à 5 minutes et ajouter l'huile de sésame.

5 Délayer la maïzena dans l'eau pour former une pâte lisse. Incorporer le bouillon et la pâte de maïzena dans le wok, et porter à ébullition en remuant, jusqu'à ce que la sauce ait épaissi et soit onctueuse. Disposer le poulet dans un plat de service chaud, garnir de poireau ciselé et servir immédiatement.

VARIANTE

Remplacez le poulet par du bœuf (steak) ou du porc maigre, mélangé aux légumes. Le bouillon sera choisi en conséquence.

Poulet à la sauce aux haricots jaune

4 personnes

INGRÉDIENTS

450 g de blanc de poulet
1 blanc d'œuf, battu
1 cuil. à soupe de maïzena
1 cuil. à soupe de sauce
   de soja claire
1 cuil. à soupe de vinaigre de riz

1 cuil. à café de sucre
3 cuil. à soupe d'huile
1 gousse d'ail, hachée
1 morceau de gingembre frais
   de 1 cm, râpé
2 gros champignons, émincés

1 poivron vert frais, épépiné
   et émincé
3 cuil. à soupe de sauce
   aux haricots jaune
poivron vert ou jaune émincé,
   en garniture

1 Dégraisser le poulet et le découper en cubes de 2,5 cm.

2 Battre le blanc d'œuf et la maïzena dans une terrine, incorporer le poulet et remuer pour bien enrober la viande. Réserver 20 minutes.

3 Mélanger le vinaigre, la sauce de soja et le sucre dans une terrine.

4 Retirer le poulet du blanc d'œuf battu à l'aide d'une écumoire.

5 Chauffer l'huile dans un wok préchauffé et faire dorer le poulet 3 à 4 minutes. Le retirer à l'aide d'une écumoire et réserver au chaud.

6 Ajouter l'ail, le poivron, le gingembre et les champignons dans le wok. Faire revenir 1 à 2 minutes.

7 Incorporer la sauce aux haricots jaune et cuire 1 minute. Ajouter la sauce au vinaigre et remettre le poulet dans le wok. Cuire

1 à 2 minutes, garnir de poivron vert ou jaune et servir.

VARIANTE

La sauce de soja noire conviendra également. Le goût sera comparable et seul l'aspect du plat, qui sera plus coloré, différera.

Poulet croustillant

4 personnes

INGRÉDIENTS

1 poulet prêt à cuire de 1,5 kg
2 cuil. à soupe de miel liquide
2 cuil. à soupe de vinaigre de riz

2 cuil. à café de poudre
de cinq-épices
850 ml d'huile, pour la friture

sauce au piment,
en accompagnement

1 Rincer l'intérieur et l'extérieur du poulet à l'eau courante et sécher avec du papier absorbant.

2 Porter un fait-tout d'eau à ébullition et retirer du feu. Plonger le poulet dans l'eau, couvrir et réserver 20 minutes. Retirer le poulet de l'eau et le sécher avec du papier absorbant. Laisser refroidir et réserver une nuit au réfrigérateur.

3 Pour le glaçage, mélanger le miel, la poudre de cinq-épices et le vinaigre de riz.

4 Badigeonner le poulet avec une partie du glaçage et le mettre de nouveau 20 minutes au réfrigérateur. Renouveler l'opération jusqu'à ce que tout le glaçage ait été utilisé. Replacer le poulet au moins 2 heures au réfrigérateur après le dernier badigeon.

5 À l'aide d'un couperet ou d'un couteau, couper le poulet en 2, en tranchant au milieu du dos pour séparer les blancs. Couper ensuite en 4.

6 Chauffer l'huile dans un wok jusqu'à ce qu'elle soit très chaude.

Réduire le feu et faire frire chaque morceau 5 à 7 minutes, jusqu'à ce qu'il dore et soit bien cuit. Retirer du wok et égoutter sur du papier absorbant.

7 Disposer sur un plat et servir très chaud avec un peu de sauce au piment.

CONSEIL

Vous pouvez utiliser des morceaux de poulet prédécoupés ou même uniquement des cuisses, si vous préférez.

Poulet épicé aux cacahuètes

4 personnes

INGRÉDIENTS

300 g de blanc de poulet,
  sans la peau et dégraissé
2 cuil. à soupe d'huile d'arachide
125 g de cacahuètes décortiquées
1 piment rouge frais, émincé
1 poivron vert, épépiné
  et coupé en lanières

1 cuil. à café d'huile de sésame
riz sauté, en accompagnement

SAUCE
150 ml de bouillon de poulet
1 cuil. à soupe d'alcool de riz
  ou de xérès sec

1 cuil. à café 1/2 de sucre roux
1 cuil. à soupe de sauce
  de soja claire
2 gousses d'ail, hachées
1 cuil. à café de gingembre frais
  râpé
1 cuil. à café de vinaigre de riz

1 Couper le poulet en dés de 2,5 cm. Réserver.

2 Chauffer l'huile d'arachide dans un wok préchauffé et cuire les cacahuètes 1 minute. Les retirer à l'aide d'une écumoire et réserver.

3 Ajouter les morceaux de poulet et cuire 1 à 2 minutes. Ajouter le piment et le poivron, et cuire 1 minute. Retirer à l'aide d'une écumoire.

4 Mettre la moitié des cacahuètes dans un robot de cuisine et mixer jusqu'à obtention d'une consistance pâteuse, ou mettre dans un sac en plastique et concasser à l'aide d'un rouleau à pâtisserie.

5 Pour la sauce, mélanger le bouillon, l'alcool de riz ou le xérès, la sauce de soja claire, le sucre roux, l'ail, le gingembre et le vinaigre de riz dans le wok.

6 Ajouter la pâte de cacahuète et le reste de cacahuètes, le poulet, le piment et le poivron, et chauffer doucement. Arroser d'huile de sésame et cuire 1 minute. Servir.

CONSEIL

Vous pouvez aussi mixer les cacahuètes avec un peu de bouillon à l'étape 4, pour obtenir une pâte souple.

Salade chinoise au poulet

4 personnes

INGRÉDIENTS

225 g de blanc de poulet

2 cuil. à café de sauce de soja claire

1 cuil. à café d'huile de sésame

1 cuil. à café de graines de sésame

1 poivron rouge, épépiné et coupé
en fines lanières

125 g de germes de soja

3 mini-épis de maïs, coupés
en rondelles

1 carotte, en julienne

ciboulette et carotte, en julienne,
pour décorer

2 cuil. à soupe d'huile

SAUCE

2 cuil. à café de vinaigre de riz

1 cuil. à soupe de sauce
de soja claire

1 trait d'huile pimentée

1 Placer le poulet dans une terrine en verre.

2 Mélanger la sauce de soja et l'huile de sésame dans une terrine et verser sur le poulet. Parsemer de graines de sésame et laisser reposer 20 minutes.

3 Retirer le poulet de la marinade et couper la viande en lanières.

4 Chauffer l'huile dans un wok préchauffé.

Mettre le poulet et faire frire 4 à 5 minutes, jusqu'à ce que les lanières soient dorées de tous les côtés. Retirer du wok à l'aide d'une écumoire, réserver et laisser refroidir.

5 Verser les germes de soja, le poivron, la carotte et le maïs dans le wok et cuire 2 à 3 minutes. Retirer à l'aide d'une écumoire et laisser refroidir.

6 Pour la sauce, mélanger le vinaigre

de riz, la sauce de soja et l'huile pimentée.

7 Dresser le poulet et les légumes sur un plat. Verser un peu de sauce sur la salade, garnir et servir.

CONSEIL

Si vous avez le temps, préparez la sauce et laissez-la reposer 30 minutes pour faire ressortir tous les arômes.

Canard à la pékinoise

4 personnes

INGRÉDIENTS

1 canard de 1,8 kg
1,75 l d'eau, bouillante
4 cuil. à soupe de miel liquide
2 cuil. à café de sauce
    de soja épaisse

2 cuil. à soupe d'huile de sésame
125 ml de sauce hoisin
125 g de sucre
carottes, en julienne, en garniture
125 ml d'eau

galettes chinoises,
    lanières de concombre
    et oignons verts, émincés,
    en accompagnement

1 Mettre le canard sur une grille au-dessus d'une lèchefrite et mouiller de toutes parts avec 1,2 l d'eau bouillante. Jeter l'eau. Sécher le canard avec du papier absorbant, le replacer sur la grille et le laisser reposer plusieurs heures.

2 Mélanger le miel, le reste d'eau bouillante et la sauce de soja dans une terrine. Badigeonner l'intérieur et l'extérieur du canard. Réserver la marinade restante et laisser reposer le canard jusqu'à ce que l'enrobage ait durci.

3 Rajouter une couche de marinade, laisser sécher et renouveler l'opération jusqu'à épuisement de la préparation.

4 Chauffer l'huile de sésame dans une casserole et verser la sauce hoisin, le sucre et l'eau. Laisser frémir 2 à 3 minutes jusqu'à ce que le mélange épaississe. Laisser refroidir et réserver au frais.

5 Cuire le canard au four préchauffé, à 190 °C (th. 6-7), 30 minutes.

Retourner et prolonger la cuisson 20 minutes. Retourner encore une fois et faire dorer 20 à 30 minutes, jusqu'à ce que la viande soit cuite et la peau croustillante.

6 Sortir du four et réserver 10 minutes. Cuire les galettes à la vapeur 5 à 7 minutes, ou selon les instructions figurant sur le paquet. Découper le canard en fines lanières et garnir de carottes en julienne. Servir avec les galettes, les oignons verts, la sauce et le concombre.

Canard en sauce piquante

4 personnes

INGRÉDIENTS

1 cuil. à soupe d'huile	125 g de chou-fleur, en fleurettes	1 cuil. à café de maïzena
1 cuil. à café de gingembre frais râpé	60 g de pois mange-tout	2 cuil. à café d'alcool de riz ou de xérès sec
1 gousse d'ail, hachée	60 g de mini-épis de maïs, coupés en deux dans la longueur	2 cuil. à café d'eau
1 piment rouge frais, haché		1 cuil. à café d'huile de sésame
350 g de magret de canard, sans la peau et coupé en lanières	300 ml de bouillon de poulet	
	1 cuil. à café de poudre de cinq-épices	

1 Chauffer l'huile dans un wok préchauffé. Baisser légèrement le feu et mettre l'ail, le piment, le gingembre et le canard, et faire revenir 2 à 3 minutes. Retirer du wok à l'aide d'une écumoire et réserver.

2 Ajouter le chou-fleur, les pois et les épis de maïs et faire revenir 2 à 3 minutes. Retirer l'excédent d'huile en poussant les légumes sur le côté du wok.

3 Remettre le canard dans le wok et mouiller avec le bouillon. Saupoudrer de poudre de cinq-épices et verser l'alcool de riz ou le xérès en remuant. Cuire 15 minutes à feu doux, jusqu'à ce que le canard soit tendre.

4 Délayer la maïzena dans l'eau pour former une pâte. L'incorporer dans le wok avec l'huile de sésame. Porter à ébullition, en remuant jusqu'à ce que la sauce épaississe et soit onctueuse.

5 Disposer le canard et la sauce piquante dans un plat de service chaud et servir immédiatement.

CONSEIL

Pour un plat plus doux, supprimez le piment ou épépinez-le.

Canard laqué au miel

4 personnes

INGRÉDIENTS

1 cuil. à café de sauce de soja épaisse	1 cuil. à café d'anis étoilé en poudre	GARNITURE
2 cuil. à soupe de miel liquide	2 cuil. à café de maïzena	feuilles de céleri
1 cuil. à café de vinaigre à l'ail	2 gros magrets de canard de 225 g chacun	rondelles de concombre
2 gousses d'ail, hachées	2 cuil. à café d'eau	ciboulette

1 Mélanger la sauce de soja, le miel, le vinaigre à l'ail et l'anis étoilé. Délayer la maïzena dans l'eau pour obtenir une pâte lisse. Incorporer la pâte à la préparation précédente.

2 Mettre le canard dans un plat à rôtir et le badigeonner soigneusement avec la marinade au soja. Couvrir et laisser mariner au frais au moins 2 heures, ou toute une nuit si possible.

3 Retirer le canard de la marinade et cuire au four préchauffé, à 220 °C (th. 7-8), en badigeonnant souvent avec la marinade.

4 Sortir le canard et faire préchauffer le gril. Enfourner le canard et faire caraméliser 3 à 4 minutes.

5 Retirer le canard du gril et le découper en fines tranches. Disposer sur un plat chaud, garnir de feuilles de céleri, de concombre et de ciboulette et servir.

CONSEIL

Si le canard commence à brûler légèrement, couvrez-le d'une feuille de papier d'aluminium. Vérifiez le degré de cuisson en piquant la chair avec la pointe d'un couteau : le jus qui s'écoule doit être clair.

Canard à la mangue

4 personnes

INGRÉDIENTS

2 mangues de taille moyenne
300 ml de bouillon de poulet
2 gousses d'ail, hachées
1 cuil. à café de gingembre frais râpé

3 cuil. à soupe d'huile
2 magrets de canards
    de 225 g chacun, sans la peau
1 cuil. à café de vinaigre de vin
1 poireau, émincé

1 cuil. à café de sauce
    de soja claire
persil frais ciselé,
    en garniture

1 Peler les mangues, retirer la pulpe de part et d'autre du noyau et la découper en lanières.

2 Mixer ensemble la moitié des mangues et le bouillon de poulet jusqu'à obtenir un mélange homogène, ou passer la moitié des mangues au chinois et mélanger la purée obtenue au bouillon.

3 Frotter le canard d'ail et de gingembre, chauffer l'huile dans un wok préchauffé et saisir la viande en remuant.

Réserver l'huile et retirer le canard. Le poser sur une grille placée au-dessus d'une lèchefrite et cuire 20 minutes à 220 ° C(th. 7-8).

4 Mettre la sauce à la mangue dans un fait-tout, ajouter le vinaigre de vin et la sauce de soja. Porter à ébullition et cuire à feu vif, en remuant, jusqu'à ce que le jus ait réduit de moitié.

5 Chauffer l'huile réservée et y faire revenir le poireau et les mangues restantes

1 minute. Retirer du wok, transférer sur un plat et réserver au chaud.

6 Découper le canard en tranches fines et les disposer sur la garniture de poireaux et de mangue. Napper la viande avec la sauce à la mangue, garnir de persil frais ciselé et servir.

CONSEIL

Veillez à ne pas cuire les mangues dans le wok trop longtemps ou à feu trop vif, elles pourraient se déliter.

Canard au brocoli et au poivron

4 personnes

INGRÉDIENTS

1 blanc d'œuf
2 cuil. à soupe de maïzena
450 g de magret de canard,
  sans la peau
huile, pour la friture
1 poivron rouge, épépiné
  et émincé

1 poivron jaune, épépiné
  et émincé
125 g de brocoli, en fleurettes
1 gousse d'ail, hachée
2 cuil. à soupe de sauce
  de soja claire
1 cuil. à café de sucre roux

2 cuil. à café d'alcool de riz
  ou de xérès sec
125 ml de bouillon de poulet
2 cuil. à café de graines
  de sésame

1 Battre le blanc d'œuf et la maïzena dans une terrine.

2 Couper le canard en cubes de 2,5 cm et l'ajouter au mélange. Laisser reposer 30 minutes.

3 Dans un wok préchauffé, chauffer l'huile jusqu'à ce qu'elle soit très chaude. Retirer le canard du mélange d'œuf et de maïzena, l'ajouter au wok et cuire 4 à 5 minutes. Retirer le canard à l'aide d'une écumoire et égoutter sur du papier absorbant.

4 Mettre dans le wok les poivrons et le brocoli et cuire 2 à 3 minutes. Retirer à l'aide d'une écumoire et égoutter sur du papier absorbant.

5 Vider l'huile du wok sauf 2 cuillerées à soupe et remettre sur le feu. Ajouter l'ail et faire revenir 30 secondes. Incorporer la sauce de soja, l'alcool de riz ou le xérès, le sucre et le bouillon, et porter à ébullition.

6 Ajouter le canard et les légumes réservés. Cuire 1 à 2 minutes.

7 Transférer délicatement le tout sur un plat chaud, parsemer de graines de sésame et servir.

Sauté de porc aux légumes

4 personnes

INGRÉDIENTS

350 g de filet de porc maigre, coupé en fines lanières

2 cuil. à soupe d'huile

2 gousses d'ail, hachées

1 morceau de gingembre frais de 1 cm, coupé en lamelles

1 carotte, en julienne

1 poivron rouge, épépiné et coupé en dés

1 bulbe de fenouil, émincé

25 g de châtaignes d'eau, coupées en deux

75 g de germes de soja

2 cuil. à soupe d'alcool de riz

300 ml de bouillon de porc ou de poulet

1 pincée de sucre roux

1 cuil. à café de maïzena

2 cuil. à café d'eau

1 Chauffer l'huile dans un wok préchauffé. Ajouter l'ail, le gingembre et les lanières de porc et cuire 1 à 2 minutes jusqu'à ce que la viande soit saisie.

2 Ajouter la carotte, le poivron, le fenouil et les châtaignes d'eau et faire revenir 2 à 3 minutes.

3 Ajouter les germes de soja et cuire 1 minute. Retirer le porc et les légumes du wok et réserver au chaud.

4 Ajouter l'alcool de riz, le bouillon de porc ou de poulet et le sucre dans le wok. Délayer la maïzena dans l'eau jusqu'à obtention d'une pâte lisse et l'ajouter à la sauce. Porter à ébullition sans cesser de remuer jusqu'à épaississement.

5 Remettre la viande et les légumes dans le wok et cuire 1 à 2 minutes jusqu'à ce qu'ils soient bien cuits et recouverts de sauce. Servir immédiatement.

CONSEIL

Si vous ne trouvez pas d'alcool de riz, vous pouvez utiliser du xérès sec.

Porc aux prunes

4 personnes

INGRÉDIENTS

450 g de filet de porc	1 pincée de cannelle en poudre	1 cuil. à soupe de sauce hoisin
1 cuil. à soupe de maïzena	5 cuil. à café d'huile	150 ml d'eau
2 cuil. à soupe de sauce	2 gousses d'ail, hachées	1 trait de sauce au piment
de soja claire	2 oignons verts, émincés	quartiers de prune frits
2 cuil. à soupe d'alcool de riz	4 cuil. à soupe de sauce	et oignons verts,
4 cuil. à café de sucre roux	aux prunes	en garniture

1 Couper le filet de porc en tranches.

2 Mélanger ensemble la maïzena, la sauce de soja, l'alcool de riz, le sucre et la cannelle.

3 Placer le porc dans une terrine peu profonde et verser le mélange à la maïzena par-dessus. Couvrir et laisser mariner au moins 30 minutes.

4 Retirer le porc du plat, en réservant la marinade.

5 Chauffer l'huile dans un wok préchauffé, verser le porc et cuire 3 à 4 minutes, jusqu'à ce qu'il commence à dorer.

6 En remuant, ajouter l'ail, l'oignon vert, la sauce aux prunes, la sauce hoisin, l'eau et la sauce au piment, porter à ébullition et réduire le feu. Couvrir et cuire 8 à 10 minutes, jusqu'à ce que le porc soit tendre et bien cuit.

7 Verser la marinade dans le wok et cuire

5 minutes en remuant. Verser le tout dans un plat de service chaud, garnir de quartiers de prune frits et d'oignon vert, et servir.

VARIANTE

Vous pouvez remplacer le porc par un magret de canard coupé en lanières, si vous préférez.

Beignets de porc

4 personnes

INGRÉDIENTS

450 g de filets de porc
2 cuil. à soupe d'huile d'arachide
200 g de farine
2 cuil. à café de levure chimique
1 œuf, battu
225 ml de lait

1 pincée de poudre de piment
huile, pour la friture

SAUCE
2 cuil. à soupe de sauce
   de soja épaisse

3 cuil. à soupe de miel liquide
1 cuil. à soupe de vinaigre de vin
1 cuil. à soupe de ciboulette hachée
1 cuil. à soupe de concentré
   de tomates
ciboulette, en garniture

1 Couper le porc en cubes de 2,5 cm de côté.

2 Chauffer l'huile dans un wok préchauffé, mettre le porc et le saisir 2 à 3 minutes. Retirer à l'aide d'une écumoire et réserver.

3 Tamiser la farine dans une terrine, ménager un puits au centre et incorporer petit à petit l'œuf, la levure, le lait et la poudre de piment pour former une pâte épaisse.

4 Chauffer l'huile de friture dans le wok jusqu'à ce qu'elle soit très chaude. Réduire le feu.

5 Verser le porc dans la terrine et bien remuer pour l'enrober de pâte. Frire les beignets de porc dans le wok, jusqu'à ce qu'ils dorent. Retirer du wok à l'aide d'une écumoire et égoutter sur du papier absorbant.

6 Pour la sauce, mélanger la sauce de soja, le miel, le vinaigre de vin, la ciboulette et le concentré de tomates dans une terrine.

7 Disposer les beignets dans un plat, garnir et servir avec la sauce.

CONSEIL

Faites attention lorsque vous faites chauffer de l'huile. Chauffez-la jusqu'à ce qu'elle soit sur le point de fumer, et réduisez le feu. Plongez la viande avec précaution dans l'huile.

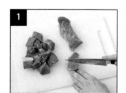

Sauté de bœuf au brocoli

4 personnes

INGRÉDIENTS

225 g de bifteck maigre, dégraissé
2 gousses d'ail, hachées
1 filet d'huile au piment
1 morceau de gingembre frais
    de 1 cm, râpé
2 cuil. à soupe d'huile

1/2 cuil. à café de poudre
    de cinq-épices
2 cuil. à soupe de sauce
    de soja épaisse
150 g de brocoli, en fleurettes
150 ml de bouillon de bœuf

1 cuil. à soupe de sauce
    de soja claire
2 cuil. à café de maïzena
4 cuil. à café d'eau
carottes en julienne, en garniture

1 À l'aide d'un couteau tranchant, couper la viande en lanières, mettre dans une terrine. Mélanger l'ail, l'huile pimentée, le gingembre, la poudre de cinq-épices et la sauce de soja dans une petite terrine. Verser en remuant pour que le bœuf soit bien enrobé. Laisser mariner au frais.

2 Chauffer 1 cuillerée à soupe d'huile dans un wok préchauffé, cuire le brocoli à feu modéré 4 à 5 minutes, retirer à l'aide d'une écumoire et réserver.

3 Chauffer l'huile restante dans le wok, ajouter le bœuf et la marinade et cuire 2 à 3 minutes, jusqu'à ce que la viande soit bien dorée.

4 Remettre le brocoli dans le wok, ajouter la sauce de soja claire et le bouillon.

5 Délayer la maïzena dans l'eau jusqu'à obtenir une pâte lisse. Incorporer au wok. Porter à ébullition en remuant pour que la sauce se lie et épaississe. Cuire encore 1 minute.

6 Disposer le bœuf au brocoli sur un plat de service chaud, garnir de julienne de carottes et servir.

CONSEIL

Laissez la viande mariner plusieurs heures pour un goût plus prononcé. Couvrez et laissez mariner au frais, si vous la préparez à l'avance.

Bœuf mariné

4 personnes

INGRÉDIENTS

225 g de bœuf maigre
(rumsteck ou bifteck)

1 cuil. à soupe de sauce
de soja claire

1 cuil. à café d'huile de sésame

2 cuil. à café d'alcool de riz
ou de xérès sec

1 cuil. à café de sucre

2 cuil. à café de sauce hoisin

1 gousse d'ail, hachée

1/2 cuil. à café de maïzena

lanières de poivron vert,
en garniture

riz ou nouilles,
en accompagnement

SAUCE

2 cuil. à soupe de sauce
de soja épaisse

1 cuil. à café de sucre

1/2 cuil. à café de maïzena

3 cuil. à soupe de sauce d'huître

8 cuil. à soupe d'eau

2 cuil. à soupe d'huile

3 gousse d'ail, hachées

1 morceau de gingembre frais
de 1 cm, râpé

8 mini-épis de maïs, coupés en deux
dans la longueur

1/2 poivron vert, épépiné
et finement émincé

25 g de pousses de bambou,
égouttées et rincées

1 Couper la viande en cubes de 2,5 cm et mettre dans un plat creux. Mélanger la sauce de soja, l'huile de sésame, l'alcool de riz ou le xérès, le sucre, la sauce hoisin, l'ail et la maïzena, et verser la préparation sur le bœuf pour bien l'enrober. Couvrir et laisser mariner au frais au moins 1 heure, toute une nuit si possible.

2 Pour la sauce, mélanger la sauce de soja épaisse, le sucre, la maïzena, la sauce d'huître et l'eau. Chauffer l'huile dans un wok préchauffé. Verser le bœuf et la marinade et cuire 2 à 3 minutes, jusqu'à ce que la viande brunisse légèrement.

3 Incorporer les épis de maïs, l'ail, le gingembre, le poivron, les pousses de bambou et la sauce, et porter à ébullition. Réduire le feu et cuire 2 à 3 minutes. Dresser sur un plat, garnir de lanières de poivron et servir avec du riz.

CONSEIL

Pour un goût plus prononcé, laissez le bœuf mariner toute une nuit au réfrigérateur.

Bœuf aux épices

4 personnes

INGRÉDIENTS

225 g de filet de bœuf
1 cuil. à café d'anis étoilé en poudre
1 cuil. à soupe de sauce
    de soja épaisse
pluches d'oignons verts,
    en garniture

2 gousses d'ail, hachées

SAUCE
2 cuil. à soupe d'huile
1 botte d'oignons verts, coupés
    en deux dans la longueur

1 cuil. à soupe de xérès sec
1 cuil. à soupe de sauce
    de soja épaisse
1/4 de cuil. à café de sauce au piment
150 ml d'eau
2 cuil. à café de maïzena

1 Couper la viande en fines lanières et les placer dans une terrine peu profonde.

2 Mélanger l'ail, l'anis étoilé et la sauce de soja épaisse dans une terrine. Verser le mélange sur la viande en remuant pour bien l'enrober. Couvrir et laisser mariner au réfrigérateur 1 heure.

3 Pour la sauce, chauffer l'huile dans un wok préchauffé, réduire le feu et faire revenir les oignons verts 1 à 2 minutes. Retirer du wok à l'aide d'une écumoire, égoutter sur du papier absorbant et réserver.

4 Ajouter dans le wok les lanières de bœuf avec la marinade et faire revenir 3 à 4 minutes. Remettre les oignons verts dans le wok et ajouter la sauce de soja, le xérès, la sauce au piment et les deux tiers de l'eau.

5 Délayer la maïzena dans le reste d'eau et verser la pâte obtenue dans le wok en remuant. Porter à ébullition en remuant jusqu'à ce que la sauce épaississe et soit onctueuse.

6 Verser sur un plat de service chaud, garnir et servir immédiatement.

CONSEIL

Pour un plat plus doux, supprimez la sauce au piment.

Bœuf aux haricots verts

4 personnes

INGRÉDIENTS

450 g de rumsteck ou de filet
    de bœuf, coupé en dés
    de 2,5 cm

MARINADE
2 cuil. à café de maïzena
2 cuil. à soupe de sauce
    de soja épaisse
2 cuil. à café d'huile d'arachide

SAUCE
2 cuil. à soupe d'huile
3 gousses d'ail, hachées
1 petit oignon, coupé en huit
225 g de haricots verts,
    coupés en deux
25 g de noix de cajou non salées
25 g de pousses de bambou
    en boîte, égouttées et rincées

125 ml de bouillon de bœuf
2 cuil. à café de sauce
    de soja épaisse
2 cuil. à café d'alcool de riz
    ou de xérès sec
2 cuil. à café de maïzena
2 cuil. à café d'eau
sel et poivre

1 Pour la marinade, mélanger la sauce de soja, la maïzena et l'huile.

2 Mettre la viande dans une terrine en verre peu profonde. Arroser avec la marinade, remuer pour que la viande soit bien enrobée, couvrir et laisser mariner au frais 30 minutes.

3 Pour la sauce, chauffer l'huile dans un wok préchauffé. Ajouter l'oignon, l'ail, les noix de cajou, les pousses de bambou et les haricots, et cuire 2 à 3 minutes.

4 Retirer la viande de la marinade, égoutter, mettre dans le wok et faire revenir 3 à 4 minutes.

5 Mélanger la sauce de soja, l'alcool de riz ou le xérès et le bouillon dans une terrine. Délayer la maïzena dans l'eau, ajouter la pâte obtenue dans la préparation précédente et remuer pour bien mélanger.

6 Verser la préparation dans le wok et porter à ébullition en remuant jusqu'à ce que la sauce épaississe. Réduire la température et laisser frémir 2 à 3 minutes. Saler, poivrer et servir.

Boulettes d'agneau

4 personnes

INGRÉDIENTS

450 g d'agneau, hachée
3 gousses d'ail, hachées
2 oignons verts, finement émincés
$\frac{1}{2}$ cuil. à café de poudre de piment
1 cuil. à café de poudre de curry chinoise
1 cuil. à soupe de persil frais ciselé

25 g de chapelure blanche
1 œuf, battu
3 cuil. à soupe d'huile
125 g de chou chinois, coupé en lanières
1 poireau, émincé
1 cuil. à soupe de maïzena

2 cuil. à soupe d'eau
300 ml de bouillon d'agneau
1 cuil. à soupe de sauce de soja épaisse
lanières de poireaux, en garniture

1 Mélanger l'agneau, l'ail, les oignons verts, le piment, la poudre de curry, le persil et la chapelure dans une terrine, ajouter l'œuf et travailler le tout pour obtenir une pâte ferme. Façonner 16 boulettes régulières.

2 Chauffer l'huile dans un wok préchauffé. Ajouter le chou chinois et le poireau et faire revenir 1 minute. Retirer du wok à l'aide d'une écumoire et réserver.

3 Faire frire les boulettes, par fournées, dans le wok 3 à 4 minutes, en les retournant, jusqu'à ce qu'elles soient dorées.

4 Délayer la maïzena dans l'eau pour former une pâte lisse et réserver. Verser le bouillon d'agneau et la sauce de soja dans le wok et cuire 2 à 3 minutes. Ajouter en remuant la pâte de maïzena, porter à ébullition et cuire sans cesser de remuer jusqu'à ce que la sauce épaississe.

5 Remettre le chou chinois et le poireau dans le wok et cuire 1 minute, jusqu'à ce qu'ils soient complètement cuits. Disposer sur un plat de service chaud, poser les boulettes de viande, garnir de lanières de poireau et servir immédiatement.

VARIANTE

Vous pouvez remplacer l'agneau par du porc ou du bœuf haché.

Agneau à la sauce aux champignons

4 personnes

INGRÉDIENTS

350 g d'agneau maigre (filet), désossé	175 g de champignons, émincés	4 cuil. à soupe de sauce de soja claire
2 cuil. à soupe d'huile	1/2 cuil. à café d'huile de sésame	3 cuil. à soupe d'alcool de riz
3 gousses d'ail, hachées	3 cuil. à soupe d'eau	ou de xérès sec
1 poireau, émincé	1 cuil. à café de maïzena	piments rouges frais, en garniture
	1/2 cuil. à café de sauce au piment	

1 Découper l'agneau en fines lanières.

2 Chauffer l'huile dans un wok préchauffé, ajouter l'agneau, l'ail et le poireau et faire revenir 2 à 3 minutes.

3 Pour la sauce, mélanger la maïzena, la sauce de soja, l'alcool de riz ou le xérès, l'eau, la sauce au piment, et réserver.

4 Dans le wok, ajouter les champignons et cuire 1 minute.

5 Incorporer la sauce et prolonger la cuisson 2 à 3 minutes, jusqu'à ce que la viande soit cuite et tendre. Arroser d'huile de sésame et transférer sur un plat de service chaud. Garnir de piments rouges et servir immédiatement.

CONSEIL

Utilisez des champignons chinois séchés disponibles dans les magasins asiatiques pour obtenir une saveur vraiment authentique.

VARIANTE

Essayez cette recette pékinoise classique avec du filet de bœuf ou du filet de porc. Vous pouvez également remplacer le poireau par 2 ou 3 oignons verts, 1 échalote ou 1 petit oignon.

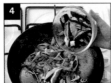

Agneau mariné à l'ail

4 personnes

INGRÉDIENTS

450 g de filet d'agneau
2 cuil. à soupe de sauce
de soja épaisse
3 cuil. à café d'huile de sésame
4 cuil. à soupe d'huile

4 gousses d'ail, hachées
2 cuil. à soupe d'alcool de riz
ou de xérès sec
1/2 cuil. à café de poivre du Sichuan
1 poivron vert, épépiné et émincé

60 g de châtaignes d'eau,
coupées en quartiers
1 cuil. à soupe de vinaigre de vin
1 cuil. à soupe d'huile de sésame
riz ou nouilles, en accompagnement

1 Couper l'agneau en cubes 2,5 cm et réserver dans une terrine en verre.

2 Mélanger 1 cuillerée à soupe de sauce de soja, 2 cuillerées à soupe d'huile de sésame, l'alcool de riz ou le xérès et le poivre dans une terrine. Verser le mélange sur l'agneau, remuer pour que la viande soit bien enrobée et laisser mariner 30 minutes.

3 Chauffer l'huile dans un wok préchauffé. Retirer la viande de la marinade et la mettre dans le wok avec l'ail. Faire revenir 2 à 3 minutes.

4 Ajouter les châtaignes d'eau et le poivron et faire revenir 1 minute.

5 Ajouter la sauce de soja restante et le vinaigre de vin. Bien mélanger.

6 Ajouter l'huile de sésame restante et cuire 1 à 2 minutes, jusqu'à ce que l'agneau soit bien cuit.

7 Disposer sur un plat et servir avec du riz ou des nouilles.

CONSEIL

On utilise l'huile de sésame pour aromatiser en fin de cuisson plutôt que pour faire frire car elle brûle très vite.

VARIANTE

La ciboulette chinoise, apparentée à l'ail, sera une garniture idéale pour ce plat.

Agneau épicé

4 personnes

INGRÉDIENTS

450 g d'agneau, désossé	2 oignons, émincés	1 gros piment rouge frais,
2 cuil. à soupe de sauce hoisin	1 bulbe de fenouil, émincé	coupé en fines lanières
1 cuil. à soupe de sauce	4 cuil. à soupe d'eau	1 piment vert frais, coupé
de soja épaisse		en fines lanières
1 gousse d'ail, hachée	SAUCE	2 cuil. à soupe d'huile d'arachide
2 cuil. à café de gingembre râpé	2 cuil. à soupe de vinaigre de riz	1 cuil. à café d'huile de sésame
2 cuil. à soupe d'huile	2 cuil. à café de sucre roux	

1 Couper l'agneau en cubes de 2,5 cm de côté. Les placer dans une terrine en verre peu profonde.

2 Mélanger la sauce hoisin, la sauce de soja, l'ail, le gingembre dans une terrine, et verser le mélange sur l'agneau. Remuer pour que la viande soit bien enrobée et laisser mariner 20 minutes au réfrigérateur.

3 Chauffer l'huile dans un wok préchauffé, mettre l'agneau et faire revenir 1 à 2 minutes.

4 Ajouter l'oignon et le fenouil et cuire 2 minutes, jusqu'à ce qu'ils commencent à dorer.

5 Mouiller avec l'eau, mélanger, couvrir et cuire 2 à 3 minutes.

6 Pour la sauce, mettre tous les ingrédients dans une casserole et cuire 3 à 4 minutes à feu doux, en remuant pour mélanger.

7 Disposer l'agneau et les oignons sur un plat de service chaud, napper de sauce, mélanger légèrement et servir.

VARIANTE

Remplacez l'agneau par du porc, du canard ou du bœuf, et l'oignon et le fenouil par du poireau ou du céleri, selon votre goût.

Sauté d'agneau au sésame

4 personnes

INGRÉDIENTS

450 g d'agneau maigre, désossé
2 cuil. à soupe d'huile d'arachide
2 poireaux, émincés
1 carotte, en julienne
2 gousses d'ail, hachées

85 ml de bouillon d'agneau
ou de légumes
2 cuil. à café de sucre roux
1 cuil. à soupe de sauce
de soja épaisse

4 cuil. à café 1/2 de graines
de sésame

1 Découper l'agneau en fines lanières, chauffer l'huile d'arachide dans un wok préchauffé et faire revenir l'agneau 2 à 3 minutes. Retirer à l'aide d'une écumoire et réserver.

2 Ajouter le poireau, la carotte et l'ail dans le wok et cuire 1 à 2 minutes dans l'huile. Retirer les légumes à l'aide d'une écumoire, réserver au chaud et vider l'huile du wok.

3 Ajouter le bouillon d'agneau, le sucre roux et la sauce de soja épaisse.

Incorporer l'agneau et cuire en remuant 2 à 3 minutes. Parsemer de graines de sésame et remuer pour bien enrober la viande.

4 Dresser le mélange de légumes sur un plat chaud, disposer l'agneau par-dessus et servir.

CONSEIL

Veillez à ne pas faire brûler le sucre durant la cuisson de l'agneau, vous risqueriez d'altérer le goût du plat.

VARIANTE

Cette recette serait aussi délicieuse composée de lanières de poulet, sans la peau, de blancs de dinde ou de crevettes. Le temps de cuisson serait alors le même.

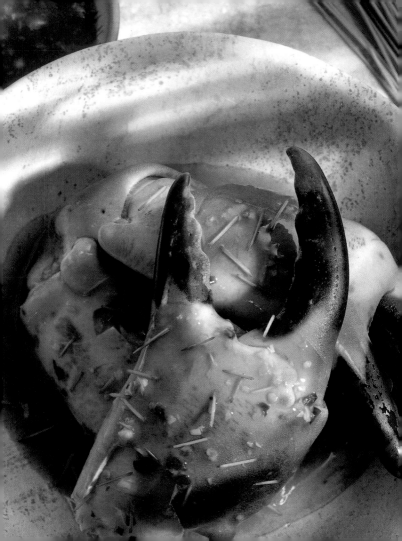

Poissons & fruits de mer

*Dans tout l'Extrême-Orient, le poisson et les fruits
de mer, à la fois abondants et sains, occupent une place
majeure dans l'alimentation. Avec un wok, ils peuvent
être cuits de diverses manières – à la vapeur, frits
ou sautés, et accompagnés de nombreuses épices et sauces
toutes plus délicieuses les unes que les autres.*

*Le Japon est réputé pour son sushimi ou poisson cru,
mais ce mets ne représente cependant que l'un
des multiples plats de poisson qu'on y sert. Il faut dire
qu'au Japon, tous les repas comportent du poisson
ou des fruits de mer, souvent cuits au wok.
Le chapitre qui suit vous propose de nombreux plats
originaux et savoureux qui associent le poisson
et les fruits de mer aux herbes aromatiques et épices,
ainsi qu'aux pâtes et sauces les plus diverses.*

*Pour les recettes qui suivent, le goût dépend
en grande partie de la fraîcheur du poisson
et des fruits de mer. Aussi, il vaut mieux les acheter
le plus tard possible, de préférence le jour même.*

Saumon sauté teriyaki aux poireaux croquants

4 personnes

INGRÉDIENTS

450 g de filet de saumon, sans la peau	1 cuil. à café de vinaigre de riz	4 cuil. à soupe d'huile de maïs
2 cuil. à soupe de sauce soja douce	1 cuil. à soupe de sucre roux	450 g de poireau, émincé
2 cuil. à soupe de ketchup	1 gousse d'ail, hachée	piments rouges, émincés

1 Couper le saumon en tranches et placer dans une terrine peu profonde et non métallique.

2 Mélanger la sauce de soja, le ketchup, le vinaigre de riz, le sucre et l'ail.

3 Verser ce mélange sur le saumon et laisser mariner 30 minutes pour qu'il soit bien imprégné.

4 Chauffer 3 cuillerées à soupe de l'huile de maïs dans un grand wok préchauffé.

5 Faire revenir les poireaux à feu moyen 10 minutes, jusqu'à ce qu'ils deviennent croustillants et tendres.

6 Retirer avec soin les poireaux du wok à l'aide d'une écumoire et les disposer sur des assiettes chaudes.

7 Ajouter le reste de l'huile, le saumon et la marinade, et cuire 2 minutes. Disposer sur les poireaux, garnir de piment et servir immédiatement.

VARIANTE

Vous pouvez aussi remplacer le saumon par un filet de bœuf.

Saumon sauté à l'ananas

4 personnes

INGRÉDIENTS

100 g de mini-épis de maïs	450 g de filet de saumon, sans la peau	100 g de germes de soja
1 oignon rouge, émincé	2 cuil. à soupe d'huile de tournesol	2 cuil. à soupe de ketchup
1 poivron orange, épépiné et coupé en lanières	1 cuil. à soupe de paprika	2 cuil. à soupe de sauce de soja
1 poivron vert, épépiné et coupé en lanières	225 g de cubes d'ananas en boîte, égouttés	2 cuil. à soupe de xérès demi-sec
		1 cuil. à café de maïzena

1 Couper les mini-épis de maïs en deux.

2 Chauffer l'huile de tournesol dans un grand wok préchauffé. Ajouter l'oignon, les poivrons et les épis de maïs et faire revenir 5 minutes.

3 Rincer les filets de saumon à l'eau courante et les sécher avec du papier absorbant.

4 Couper la chair de saumon en fines lanières et les mettre dans une grande terrine.

Saupoudrer de paprika et retourner pour bien enrober le saumon.

5 Ajouter le saumon et l'ananas aux légumes dans le wok et faire revenir encore 2 à 3 minutes, jusqu'à ce que le poisson soit tendre.

6 Ajouter les germes de soja et bien remuer.

7 Mélanger le ketchup, la sauce de soja, le xérès et la maïzena. Ajouter ce mélange dans le wok et cuire jusqu'à ce que

le jus commence à épaissir. Disposer sur des assiettes chaudes et servir.

VARIANTE

Vous pouvez aussi utiliser des filets de truite à la place du saumon.

Sauté de thon et de légumes

4 personnes

INGRÉDIENTS

225 g de carottes, pelées	175 g de mini-épis de maïs,	zeste finement râpé et jus
2 cuil. à soupe d'huile de maïs	coupés en deux	d'une orange
1 oignon, émincé	2 cuil. à soupe de sauce de poisson	1 cuil. à café de maïzena
175 g de pois mange-tout	1 cuil. à soupe de sucre de palme	riz ou nouilles,
450 g de thon frais	2 cuil. à soupe de xérès	en accompagnement

1 Couper les carottes en julienne.

2 Chauffer l'huile de maïs dans un grand wok préchauffé.

3 Faire revenir l'oignon, les carottes, les haricots mange-tout et les mini-épis de maïs 5 minutes.

4 Couper le thon en lanières fines.

5 Ajouter le thon dans le wok et faire revenir 2 à 3 minutes, jusqu'à ce qu'il devienne opaque.

6 Mélanger la sauce de poisson, la maïzena, le sucre de palme, le zeste et le jus d'orange, et le xérès.

7 Verser sur le thon dans le wok, cuire 2 minutes, jusqu'à ce que le jus épaississe et servir avec du riz ou des nouilles.

CONSEIL

Le sucre de palme est un épais sucre brun, non raffiné, au goût légèrement caramélisé. Il est vendu en pains ronds ou en petites barquettes.

VARIANTE

Essayez avec des darnes d'espadon. On les trouve aujourd'hui facilement et leur consistance est semblable à celle du thon.

Cabillaud sauté à la mangue

4 personnes

INGRÉDIENTS

175 g de carottes, pelées
2 cuil. à soupe d'huile
1 oignon rouge, émincé
1 poivron rouge, coupé en lanières
1 poivron vert, coupé en lanières

450 g de filet de cabillaud,
    sans la peau
1 mangue mûre
1 cuil. à café de maïzena
1 cuil. à soupe de sauce de soja

100 ml de jus de fruits exotiques
1 cuil. à soupe de jus de citron vert
1 cuil. à soupe de coriandre ciselée

1 Couper les carottes en julienne.

2 Chauffer l'huile dans un wok préchauffé.

3 Faire revenir l'oignon, les carottes et les poivrons 5 minutes.

4 Couper le cabillaud en cubes.

5 Éplucher la mangue, enlever la chair autour du noyau central et la couper en tranches fines.

6 Ajouter le cabillaud et la mangue aux légumes dans le wok et faire revenir encore 4 à 5 minutes, jusqu'à ce que le poisson soit bien cuit. Ne pas trop mélanger pour éviter d'émietter le poisson.

7 Mélanger dans une terrine la maïzena, la sauce de soja, le jus de fruits et le jus de citron vert.

8 Verser le mélange à la maïzena sur le sauté et laisser bouillir et épaissir le jus. Parsemer de coriandre et servir immédiatement.

VARIANTE

Vous pouvez remplacer la mangue par de la papaye, selon votre goût.

Lotte sautée au gingembre

4 personnes

INGRÉDIENTS

450 g de lotte	2 cuil. à soupe de sauce au piment	100 g de petites asperges
1 cuil. à soupe de gingembre frais	douce	3 oignons verts, émincés
râpé	1 cuil. à soupe d'huile de maïs	1 cuil. à café d'huile de sésame

1 Couper la lotte en petites rondelles plates.

2 Mélanger le gingembre et la sauce au piment dans une petite terrine.

3 À l'aide d'un pinceau, enduire les morceaux de lotte du mélange de gingembre et de sauce au piment.

4 Chauffer l'huile de maïs dans un grand wok préchauffé.

5 Faire revenir la lotte, les asperges et les oignons verts 5 minutes.

6 Retirer le wok du feu, verser un filet d'huile de sésame sur le sauté et bien retourner pour mélanger.

7 Disposer sur des assiettes chaudes et servir immédiatement.

VARIANTE

*La lotte coûte cher,
mais son goût
ainsi que sa consistance,
sont admirables.
Vous pouvez, à la rigueur,
la remplacer par des cubes
d'épais filets de cabillaud.*

CONSEIL

*Dans certaines recettes,
il faut râper le gingembre
avant de le cuire. Pour cela,
épluchez le morceau
de gingembre et le frotter
de haut en bas le long
de la section fine d'une râpe
en formant un angle de 45°,
ou utilisez une râpe
à gingembre spécifique.*

Filets de poisson braisés

4 personnes

INGRÉDIENTS

3 ou 4 petits champignons chinois séchés	1 cuil. à café de gingembre frais haché	1/2 cuil. à café de sucre
300 à 350 g de filets de poisson	1 gousse d'ail, finement hachée	1 cuil. à soupe de sauce de soja claire
1 cuil. à café de sel	1/2 petit poivron vert, épépiné et coupé en dés	1 cuil. à soupe de vin de riz ou de xérès
1/2 blanc d'œuf, légèrement battu	1/2 petite carotte, coupée en fines rondelles	1 cuil. à soupe de sauce de soja pimentée
1 cuil. à café de pâte de maïzena	60 g de pousses de bambou en boîte, rincées et égouttées	2 ou 3 cuil. à soupe de bouillon chinois ou d'eau
600 ml d'huile		
2 oignons verts, finement hachés		quelques gouttes d'huile de sésame

1 Tremper les champignons séchés dans une terrine d'eau chaude 30 minutes. Égoutter sur du papier absorbant et réserver l'eau de trempage pour du bouillon. Presser les champignons pour exprimer l'excès d'humidité, couper et jeter les pieds durs et détailler en tranches fines.

2 Couper le poisson en dés, les mettre dans un plat peu profond et mélanger avec une pincée de sel, le blanc d'œuf et la pâte de maïzena en enrobant bien le poisson.

3 Chauffer l'huile dans un wok préchauffé. Frire les morceaux de poisson 1 minute, retirer à l'aide d'une écumoire et égoutter sur du papier absorbant.

4 Vider le wok de l'huile sauf 1 cuillerée à soupe. Ajouter le gingembre, les oignons et l'ail pour parfumer l'huile quelques secondes, puis le poivron, les carottes et les pousses de bambou et faire revenir 1 minute.

5 Ajouter le sucre, la sauce de soja, le vin, la sauce de soja pimentée, le bouillon ou l'eau et le sel restant, et porter à ébullition. Ajouter le poisson, mélanger pour les recouvrir de sauce et braiser 1 minute.

6 Verser l'huile de sésame et servir.

Poisson à la noix de coco et au basilic

4 personnes

INGRÉDIENTS

2 cuil. à soupe d'huile	2 cuil. à soupe de pâte	175 g de tomates cerises,
450 g de filet de cabillaud, sans la peau	de curry rouge thaïe	coupées en deux
25 g de farine assaisonnée	1 cuil. à soupe de sauce de poisson	20 feuilles de basilic fraîches
1 gousse d'ail, hachée	300 ml de lait de coco	riz parfumé, en accompagnement

1 Chauffer l'huile dans un grand wok préchauffé.

2 Couper le poisson en cubes en veillant à ôter toutes les arêtes à l'aide d'une pince à épiler.

3 Mettre la farine assaisonnée dans une terrine. Ajouter les cubes de poisson et mélanger pour bien les enrober.

4 Faire revenir les cubes de poisson à feu vif 3 à 4 minutes, jusqu'à ce qu'ils commencent juste à brunir sur les bords.

5 Mélanger dans une terrine l'ail, la pâte de curry, la sauce de poisson et le lait de coco. Verser le mélange sur le poisson et porter à ébullition.

6 Ajouter les tomates au mélange dans le wok et cuire à feu doux 5 minutes.

7 Déchirer les feuilles de basilic, les ajouter dans le wok et mélanger en prenant garde de ne pas émietter le poisson.

8 Disposer sur des assiettes chaudes et servir chaud avec du riz parfumé.

CONSEIL

Après avoir ajouté les tomates, veillez à ne pas cuire trop le plat pour éviter qu'elles ne se décomposent et ne perdent leur peau.

Crevettes à la noix de coco

4 personnes

INGRÉDIENTS

50 g de noix de coco séchée, râpée	1/2 cuil. à café de sel	huile de tournesol ou de maïs,
25 g de chapelure blanche	zeste finement râpé d'un citron vert	pour la friture
1 cuil. à café de poudre	1 blanc d'œuf	quartiers de citron, en garniture
de cinq-épices	450 g de crevettes roses	

1 Mélanger dans une terrine la noix de coco séchée, la chapelure, la poudre de cinq-épices, le sel et le zeste de citron vert.

2 Dans une autre terrine, battre le blanc d'œuf en neige légère.

3 Rincer les crevettes à l'eau courante et sécher avec du papier absorbant.

4 Passer les crevettes dans le blanc d'œuf, puis dans le mélange de noix de coco et de chapelure pour qu'elles en soient bien enrobées.

5 Chauffer 5 cm d'huile de tournesol ou de maïs dans un grand wok préchauffé.

6 Faire revenir les crevettes 5 minutes, jusqu'à ce qu'elles soient dorées et croustillantes.

7 Retirer les crevettes à l'aide d'une écumoire, les poser sur du papier absorbant et les égoutter soigneusement.

8 Disposer les crevettes à la noix de coco sur des assiettes chaudes, garnir de quartiers de citron et servir.

CONSEIL

Vous pouvez aussi servir les crevettes avec une sauce de soja ou au piment.

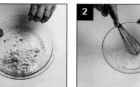

Omelette aux crevettes

4 personnes

INGRÉDIENTS

2 cuil. à soupe d'huile de tournesol	100 g de germes de soja	1 cuil. à soupe de sauce
4 oignons verts, émincés	1 cuil. à café de maïzena	de soja claire
350 g de crevettes, décortiquées	6 œufs	

1 Chauffer l'huile de tournesol dans un grand wok préchauffé.

2 Ébarber les oignons et les couper en lanières.

3 Faire revenir les crevettes, les oignons et les germes de soja 2 minutes.

4 Mélanger dans une terrine la maïzena et la sauce de soja.

5 Battre les œufs avec 3 cuillerées à soupe d'eau froide et les ajouter au mélange à base de maïzena.

6 Verser le mélange dans le wok et cuire 5 à 6 minutes, jusqu'à ce que le mélange prenne.

7 Disposer l'omelette sur un plat et la couper en quartiers pour servir.

VARIANTE

Vous pouvez ajouter à l'étape 3 tout autre légume de votre choix, comme des carottes râpées ou des petits pois cuits.

CONSEIL

Il est important d'utiliser des germes de soja frais car le soja en conserve n'a pas le croquant nécessaire.

Gambas aux tomates épicées

4 personnes

INGRÉDIENTS

2 cuil. à soupe d'huile de maïs	1 cuil. à soupe de sucre roux	1 cuil. à soupe de purée de tomates
1 oignon	400 g de tomates concassées	séchées au soleil
2 gousses d'ail, hachées	en boîte	450 g de gambas, décortiquées
1 cuil. à café de graines de cumin	1 cuil. à soupe de basilic frais ciselé	sel et poivre

1 Chauffer l'huile de maïs dans un grand wok préchauffé.

2 Émincer finement l'oignon.

3 Cuire l'oignon et l'ail 2 à 3 minutes, jusqu'à ce qu'ils ramollissent.

4 Ajouter en remuant les graines de cumin et faire revenir 1 minute.

5 Ajouter le sucre, les tomates et la purée de tomates séchées au soleil. Porter à ébullition, réduire le feu et cuire 10 minutes.

6 Ajouter le basilic, les gambas, saler et poivrer. Augmenter le feu et cuire encore 2 à 3 minutes, jusqu'à ce que les gambas soient parfaitement cuites.

CONSEIL

Chauffez toujours le wok avant d'y mettre de l'huile ou d'autres aliments, cela évitera que les ingrédients n'attachent.

CONSEIL

La purée de tomates séchées au soleil possède une saveur beaucoup plus prononcée que la purée de tomates habituelle. Elle bonifie tout plat à base de tomates.

Gambas au gingembre croquant

4 personnes

INGRÉDIENTS

1 morceau de gingembre frais de 5 cm	225 g de carottes, coupées en dés	1 cuil. à café de poudre de cinq-épices
huile, pour la friture	100 g de petits pois surgelés	
1 oignon, coupé en dés	100 g de germes de soja	1 cuil. à soupe de purée de tomates
	450 g de gambas, décortiquées	1 cuil. à soupe de sauce de soja

1 À l'aide d'un couteau tranchant, éplucher le gingembre et le couper en lanières très fines.

2 Chauffer 2,5 cm d'huile dans un grand wok préchauffé.

3 Cuire le gingembre 1 minute, jusqu'à ce qu'il soit croustillant. Retirer à l'aide d'une écumoire et égoutter sur du papier absorbant. Réserver.

4 Vider le wok de l'huile sauf 2 cuillerées à soupe.

5 Ajouter les oignons et les carottes et faire revenir 5 minutes.

6 Ajouter les petits pois et les pousses de soja, et faire revenir 2 minutes.

7 Rincer les gambas à l'eau courante et les sécher soigneusement avec du papier absorbant.

8 Mélanger la poudre de cinq-épices, la purée de tomates et la sauce de soja, et enduire les gambas du mélange obtenu.

9 Ajouter les gambas dans le wok et faire revenir encore 2 minutes, jusqu'à ce qu'elles soient parfaitement cuites. Mettre la préparation aux gambas dans un plat chaud, décorer du gingembre croustillant réservé et servir immédiatement.

VARIANTE

Vous pouvez aussi remplacer les gambas par des tranches de poisson blanc.

Légumes aux crevettes et aux œufs

4 personnes

INGRÉDIENTS

225 g de courgettes	1 oignon, émincé	1 pincée de poudre de cinq-épices
3 cuil. à soupe d'huile	150 g de germes de soja	25 g de cacahuètes, concassées
2 œufs	225 g de crevettes, décortiquées	2 cuil. à soupe de coriandre fraîche
225 g de carottes, râpées	2 cuil. à soupe de sauce de soja	ciselée

1 Râper finement les courgettes.

2 Chauffer 1 cuillerée à soupe d'huile dans un grand wok préchauffé.

3 Battre les œufs avec 2 cuillerées à soupe d'eau froide. Verser le mélange dans le wok et cuire 2 à 3 minutes, jusqu'à ce que les œufs prennent.

4 Retirer l'omelette du wok et la poser sur une planche à découper. La plier, la couper en fines lanières et la réserver.

5 Verser le reste d'huile dans le wok. Ajouter les carottes, les oignons et les courgettes et faire revenir 5 minutes.

6 Ajouter les germes de soja et les crevettes et cuire encore 2 minutes, jusqu'à ce que les crevettes soient cuites.

7 Ajouter la sauce de soja, la poudre de cinq-épices, l'omelette et les cacahuètes, et bien chauffer. Garnir de coriandre fraîche ciselée et servir immédiatement.

CONSEIL

Mélangez de l'eau aux œufs (étape 3) pour une omelette plus légère.

Pinces de crabe sautées au piment

4 personnes

INGRÉDIENTS

700 g de pinces de crabe
1 cuil. à soupe d'huile de maïs
2 gousses d'ail, hachées
1 cuil. à soupe de gingembre
     frais râpé

3 piments rouges, épépinés
     et finement hachés
2 cuil. à soupe de sauce au piment
     douce
3 cuil. à soupe de ketchup

300 ml de fumet de poisson froid
1 cuil. à soupe de maïzena
sel et poivre
1 cuil. à soupe de ciboulette fraîche
     ciselée

1 Ouvrir doucement les pinces de crabe à l'aide d'un casse-noix, pour que la chair s'imprègne pleinement des saveurs du piment, de l'ail et du gingembre.

2 Chauffer l'huile de maïs dans un grand wok préchauffé.

3 Faire revenir les pinces de crabe 5 minutes.

4 Ajouter l'ail, les piments et le gingembre, et faire revenir 1 minute en retournant les pinces pour les enrober d'épices.

5 Mélanger dans une terrine la sauce pimentée, le ketchup, le fumet de poisson et la maïzena.

6 Ajouter le mélange au piment et à la maïzena dans le wok et cuire en remuant de temps en temps jusqu'à ce que la sauce commence à épaissir. Saler et poivrer.

7 Disposer les pinces de crabe et la sauce au piment sur des assiettes chaudes, garnir de ciboulette fraîche ciselée et servir aussitôt.

CONSEIL

À la place des pinces de crabe, utilisez un crabe entier coupé en huit morceaux.

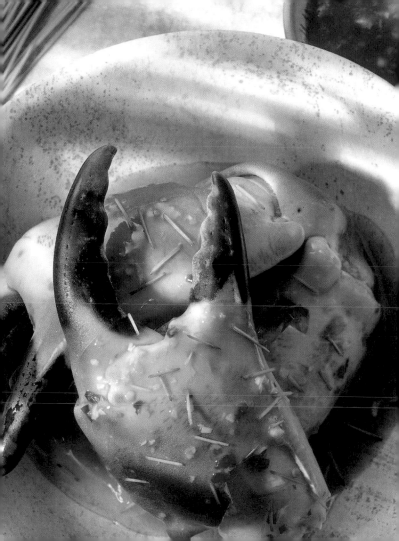

Chou chinois aux champignons shiitake et au crabe

4 personnes

INGRÉDIENTS

225 g de champignons shiitake
2 cuil. à soupe d'huile
2 gousses d'ail, hachées
6 oignons verts, émincés

1 tête de chou chinois, coupée
en lanières
1 cuil. à soupe de pâte de curry douce
6 cuil. à soupe de lait de coco

200 g de chair de crabe blanche
en boîte, égouttée
1 cuil. à café de piment en flocons

1 Couper en tranches les champignons.

2 Chauffer l'huile dans un grand wok préchauffé.

3 Faire revenir les champignons et l'ail 3 minutes, jusqu'à ce que les champignons aient ramolli.

4 Ajouter les oignons et les lanières de chou et faire revenir jusqu'à ce que le chou flétrisse.

5 Mélanger dans une terrine la pâte de curry et le lait de coco.

6 Ajouter le mélange de pâte de curry et de lait de coco dans le wok avec la chair de crabe et les flocons de piment. Bien mélanger et chauffer jusqu'à ce que le jus commence à bouillir.

7 Verser dans des bols chauds et servir immédiatement.

CONSEIL

Vous trouverez des champignons shiitake au rayon légumes frais des grands supermarchés.

Laitue sautée aux moules et au lemon-grass

4 personnes

INGRÉDIENTS

1 kg de moules avec leurs coquilles, brossées	2 cuil. à soupe de jus de citron	1 laitue iceberg
2 tiges de lemon-grass, émincées	100 ml d'eau	zeste finement râpé d'un citron
	25 g de beurre	2 cuil. à soupe de sauce aux huîtres

1 Mettre les moules dans une grande casserole.

2 Ajouter le lemon-grass, le jus de citron et l'eau, couvrir avec un couvercle bien ajusté et cuire 5 minutes, jusqu'à ce que les moules se soient ouvertes. Jeter toutes les moules encore fermées.

3 Découquiller soigneusement les moules à l'aide d'une fourchette.

4 Chauffer le beurre dans un grand wok préchauffé.

5 Faire revenir la laitue et le zeste de citron 2 minutes, jusqu'à ce que la laitue commence à se dessécher.

6 Ajouter la sauce d'huître, mélanger, chauffer et servir.

CONSEIL

Le lemon-grass, au goût citronné, ressemble à une ciboule fibreuse. Il est souvent utilisé dans la cuisine thaïe.

CONSEIL

Si vous utilisez des moules fraîches, jetez soigneusement les moules ouvertes avant brossage et les moules fermées après cuisson.

Moules à la sauce de soja noire et aux épinards

4 personnes

INGRÉDIENTS

350 g de poireaux	2 cuil. à soupe d'huile	1 poivron rouge, coupé en lanières
350 g de moules vertes, cuites, sans leur coquilles	2 gousses d'ail, hachées	175 g de jeunes épinards
1 cuil. à café de graines de cumin	50 g de pousses de bambou en boîte, égouttées	160 g de sauce de soja noire

1 Nettoyer les poireaux et les couper en lanières.

2 Mettre les moules dans une terrine, parsemer de graines de cumin et bien mélanger.

3 Chauffer l'huile dans un grand wok préchauffé.

4 Faire revenir les poireaux, l'ail et le poivron rouge 5 minutes, jusqu'à ce que les légumes soient tendres.

5 Ajouter les pousses de bambou, les épinards et les moules vertes, et faire revenir 2 minutes.

6 Verser la sauce de soja noire sur les ingrédients du wok, bien mélanger et cuire à feu doux quelques secondes en remuant de temps en temps.

7 Transférer le sauté dans des bols chauds et servir immédiatement.

CONSEIL

À défaut de moules vertes fraîches, vous pouvez en acheter en boîtes ou en bocaux dans la plupart des grands supermarchés.

Beignets de noix de Saint-Jacques

4 personnes

INGRÉDIENTS

100 g de haricots verts fins	450 g de noix de Saint-Jacques	1 cuil. à soupe de sauce de poisson
1 piment rouge	3 oignons verts, émincés	huile, pour la friture
1 œuf	50 g de farine de riz	sauce au piment douce, en garniture

1 Équeuter les haricots verts et les couper en morceaux très fins.

2 Épépiner et hacher très finement le piment rouge.

3 Porter une casserole d'eau légèrement salée à ébullition, ajouter les haricots verts et cuire 3 à 4 minutes, jusqu'à ce qu'ils aient juste ramolli.

4 Couper grossièrement les noix de Saint-Jacques et les mettre dans une terrine. Ajouter les haricots.

5 Mélanger l'œuf, les oignons, la farine de riz, la sauce de poisson et le piment, ajouter aux noix de Saint-Jacques et bien mélanger.

6 Chauffer 2,5 cm d'huile dans un wok préchauffé. Ajouter une louche du mélange aux noix de Saint-Jacques et cuire 5 minutes, jusqu'à ce que le beignet ait pris et soit bien doré. Le retirer du wok et l'égoutter sur du papier absorbant. Recommencer avec le reste du mélange.

7 Servir les beignets chauds avec une sauce au piment douce pour les tremper dedans.

VARIANTE

Vous pouvez remplacer les noix de Saint-Jacques par des crevettes ou des palourdes décoquillées.

Saint-Jacques à la sauce au beurre

4 personnes

INGRÉDIENTS

450 g de noix de Saint-Jacques	2 cuil. à soupe d'huile	3 cuil. à soupe de sauce de soja douce
6 oignons verts	1 piment vert, épépiné et émincé	50 g de beurre, coupé en dés

1 Rincer les noix de Saint-Jacques à l'eau courante et sécher avec du papier absorbant.

2 Couper chaque noix en deux dans leur largeur.

3 Nettoyer et émincer les oignons verts.

4 Chauffer l'huile dans un grand wok préchauffé.

5 Faire revenir à feu vif le piment, les oignons et les noix de Saint-Jacques 4 à 5 minutes, jusqu'à ce que les noix soient juste cuites.

6 Ajouter la sauce de soja et le beurre au sauté de noix de Saint-Jacques et chauffer jusqu'à ce que le beurre fonde.

7 Verser dans des bols chauds et servir chaud.

CONSEIL

Pour ôter les noix des coquilles Saint-Jacques, glissez un couteau sous la membrane pour la détacher et coupez le muscle épais qui fixe la chair à la coquille. Jetez le sac gastrique noir et la veine intestinale.

CONSEIL

Vous pouvez utiliser des noix surgelées. Veillez alors à ce qu'elles soient complètement décongelées avant de les cuire et ne pas les cuire trop car elles se désagrègent facilement.

Huîtres sautées au tofu, au citron et à la coriandre

4 personnes

INGRÉDIENTS

225 g de poireaux	2 cuil. à soupe de jus de citron frais	2 cuil. à soupe de coriandre fraîche
350 g de tofu	1 cuil. à café de maïzena	ciselée
2 cuil. à soupe d'huile de tournesol	2 cuil. à soupe de sauce de soja claire	1 cuil. à café de zeste de citron
350 g d'huîtres sans coquilles	100 ml de fumet de poisson	finement râpé

1 Ébarber et émincer les poireaux.

2 Couper le tofu en bouchées.

3 Chauffer l'huile de tournesol dans un grand wok préchauffé.

4 Faire revenir les poireaux 2 minutes.

5 Ajouter le tofu et les huîtres et faire revenir 1 à 2 minutes.

6 Mélanger dans une terrine le jus de citron, la maïzena, la sauce de soja claire et le fumet de poisson.

7 Verser le mélange à base de maïzena dans le wok et cuire en remuant de temps en temps, jusqu'à ce que le jus commence à épaissir.

8 Transférer dans des bols, parsemer de coriandre et de zeste de citron, et servir immédiatement.

VARIANTE

Vous pouvez remplacer les huîtres par des palourdes ou des moules décortiquées.

Calmar croustillant au sel et au poivre

4 personnes

INGRÉDIENTS

450 g de calmar, nettoyé	1 cuil. à café de poivre noir	huile d'arachide, pour la friture
25 g de maïzena	fraîchement moulu	sauce au choix pour tremper,
1 cuil. à café de sel	1 cuil. à café de piment en flocons	en accompagnement

1 Retirer les tentacules du calmar et les couper. Entailler les corps d'un côté et ouvrir pour obtenir des morceaux plats.

2 Marquer les morceaux de croisillons et couper chacun en quatre.

3 Mélanger la maïzena, le sel, le poivre et les flocons de piment.

4 Mettre le mélange précédent dans un sac plastique. Ajouter les morceaux de calmar et agiter le sac pour que les morceaux soient bien enrobés du mélange à base de maïzena.

5 Chauffer 5 cm d'huile d'arachide dans un grand wok préchauffé.

6 Faire revenir plusieurs morceaux de calmar à la fois 2 minutes, jusqu'à ce qu'ils commencent à s'enrouler. Ne pas trop cuire, sinon le calmar deviendrait dur.

7 Retirer les morceaux de calmar à l'aide d'une écumoire, les poser sur du papier absorbant et les égoutter soigneusement.

8 Disposer sur des assiettes et servir avec une sauce pour tremper.

CONSEIL

À défaut de calmar frais, vous pouvez acheter des anneaux surgelés. Ils sont généralement déjà nettoyés et faciles à utiliser. Veillez à ce qu'ils soient complètement dégelés avant de les cuire.

Calmar sauté aux poivrons verts et sauce de soja noire

4 personnes

INGRÉDIENTS

450 g d'anneaux de calmar	1 poivron vert	160 g de sauce de soja noire
2 cuil. à soupe de farine	2 cuil. à soupe d'huile d'arachide	
½ cuil. à café de sel	1 oignon rouge, émincé	

1 Rincer les anneaux de calmar à l'eau courante et les sécher avec du papier absorbant.

2 Mettre la farine et le sel dans une terrine et mélanger. Ajouter les anneaux de calmar et remuer jusqu'à ce qu'ils soient enrobés d'une fine couche de farine.

3 Épépiner le poivron et le couper en fines lanières.

4 Chauffer l'huile d'arachide dans un grand wok préchauffé.

5 Faire revenir le poivron et l'oignon rouge 2 minutes, jusqu'à ce qu'ils commencent juste à ramollir.

6 Ajouter les anneaux de calmar et cuire encore 5 minutes, jusqu'à ce que le calmar soit bien cuit.

7 Ajouter la sauce de soja noire et chauffer jusqu'à ce que le jus frémisse. Verser dans des bols chauds et servir immédiatement.

CONSEIL

Vous pouvez servir avec du riz frit ou des nouilles sautées dans la sauce de soja.

Poisson à la sauce de soja noire

4 personnes

INGRÉDIENTS

900 g de vivaneau entier,
nettoyé et écaillé
3 gousses d'ail, hachées
2 cuil. à soupe de sauce
de soja noire
1 cuil. à café de maïzena

2 cuil. à café d'huile de sésame
2 cuil. à soupe de sauce
de soja claire
2 cuil. à café de sucre
2 cuil. à soupe de xérès sec
1 petit poireau, émincé

1 petit poivron rouge, épépiné
et coupé en fines lanières
lanières de poireau et quartiers
de citron, en garniture
riz ou nouilles, en accompagnement

1 Rincer l'intérieur et l'extérieur du poisson à l'eau courante et le sécher avec du papier absorbant. À l'aide d'un couteau tranchant, pratiquer 2 ou 3 incisions en biais sur chaque face du poisson et frotter l'intérieur avec l'ail.

2 Mélanger la sauce de soja noire, la maïzena, l'huile de sésame, la sauce de soja claire, le sucre et le xérès. Poser le poisson sur un plat peu profond allant au four et verser la sauce par-dessus. Ajouter le poireau et le poivron.

3 Placer le plat au-dessus d'un panier à étuver, couvrir et cuire 10 minutes, jusqu'à ce que le poisson soit bien cuit.

4 Disposer le poisson dans un plat, garnir de lanières de poireau et de quartiers de citron et servir avec du riz ou des nouilles.

VARIANTE

*Si vous préférez,
vous pouvez remplacer
le vivaneau de cette recette
par du bar ou de la brème.*

CONSEIL

*Pour vérifier que le poisson
est bien cuit, piquez
la pointe d'un couteau
tranchant dans sa chair,
elle doit s'enfoncer facilement.*

Vivaneau à la vapeur farci aux fruits et au gingembre

4 personnes

INGRÉDIENTS

1,4 kg de vivaneaux entiers, vidés et écaillés	FARCE	1 cuil. à café d'huile de sésame
175 g d'épinards	60 g de riz long grain, cuit	1/4 de cuil. à café d'anis étoilé
rondelles d'orange et oignons verts émincés, pour décorer	1 cuil. à café de gingembre râpé	en poudre
	2 oignons verts, finement émincés	1 orange, coupée en quartiers
	2 cuil. à café de sauce de soja claire	et hachée

1 Rincer l'intérieur et l'extérieur du poisson à l'eau courante et le sécher avec du papier absorbant. Blanchir les épinards 40 secondes, les rincer à l'eau courante et bien les égoutter en les pressant pour exprimer l'excès d'humidité. Disposer les épinards dans une assiette résistant à la chaleur et poser le poisson par-dessus.

2 Pour la farce, mélanger le riz, le gingembre, l'oignon vert, la sauce de soja, l'huile de sésame, l'anis étoilé et l'orange dans une terrine.

3 Farcir l'intérieur du poisson avec le mélange obtenu, en tassant bien à l'aide d'une cuillère.

4 Couvrir l'assiette et cuire 10 minutes dans un panier à étuver jusqu'à ce que le poisson soit bien cuit. Disposer le poisson dans un plat de service, garnir de rondelles d'orange et d'oignon vert émincé et servir immédiatement.

CONSEIL

Le vivaneau appartient à la famille des lutjanidés, des poissons tropicaux ou subtropicaux de couleurs variées. Ils peuvent être rouges, orange, roses, gris ou bleu-vert. Ils sont rayés, ou tachetés et leur taille peut varier de 15 à 90 cm.

Truite à l'ananas

4 personnes

INGRÉDIENTS

4 filets de truite, sans la peau

2 cuil. à soupe d'huile

2 gousses d'ail, émincées

4 tranches d'ananas frais,
 pelées et coupées en dés

1 branche de céleri, émincée

1 cuil. à soupe de sauce
 de soja claire

50 ml de jus d'ananas frais
 ou au naturel

150 ml de fumet de poisson

1 cuil. à café de maïzena

2 cuil. à café d'eau

feuilles de céleri, ciselées,
 et lanières de piment rouge
 frais, en garniture

1 Couper les filets de truite en lanières. Chauffer 1 cuillerée à soupe d'huile dans un wok préchauffé jusqu'à ce qu'elle soit très chaude. Réduire légèrement le feu et faire frire le poisson 2 minutes. Retirer et réserver.

2 Ajouter le reste de l'huile dans le wok, réduire le feu et cuire l'ail, l'ananas et le céleri 1 à 2 minutes.

3 Incorporer la sauce de soja, le jus d'ananas, le fumet de poisson. Porter à ébullition et poursuivre la cuisson 2 à 3 minutes en remuant, jusqu'à ce que la sauce réduise.

4 Délayer la maïzena dans l'eau. Verser dans le wok et porter à ébullition en remuant, jusqu'à ce que la sauce épaississe et soit onctueuse.

5 Remettre le poisson dans le wok et cuire en remuant délicatement jusqu'à ce qu'il soit chaud.

Disposer le poisson sur un plat chaud, garnir de feuilles de céleri ciselées et de lanières de piment rouge et servir.

CONSEIL

Vous pouvez remplacer l'ananas frais par de l'ananas en boîte, choisissez-le sans sucre ajouté, au naturel plutôt qu'au sirop.

Rouget au gingembre

4 personnes

INGRÉDIENTS

1 rouget entier, nettoyé et écaillé	1 filet de sauce au piment	sel et poivre
2 oignons verts, émincés	125 ml de fumet de poisson	
1 cuil. à café de gingembre frais râpé	1 poivron vert, épépiné et coupé en fines rondelles	
125 ml de vinaigre de vin à l'ail	1 grosse tomate, pelée, épépinée et coupée en fines rondelles	
3 cuil. à café de sucre	rondelles de tomate, en garniture	
125 ml de sauce de soja claire		

1 Rincer l'intérieur et l'extérieur du poisson et le sécher avec du papier absorbant.

2 Pratiquer 3 incisions en biais sur les deux faces du poisson, saler et poivrer l'intérieur et l'extérieur du poisson.

3 Poser le poisson dans un plat résistant à la chaleur et parsemer d'oignon vert et de gingembre râpé. Couvrir et cuire à la vapeur 10 minutes, jusqu'à ce que le poisson soit bien cuit.

4 Mettre le vinaigre de vin à l'ail, la sauce de soja, le sucre, la sauce au piment, le fumet de poisson, le poivron et la tomate dans un fait-tout et porter à ébullition en remuant souvent. Cuire la sauce à feu vif jusqu'à ce qu'elle ait légèrement réduit et épaissi.

5 Retirer le poisson du plat de cuisson et le disposer sur un plat de service chaud. Arroser de sauce, garnir de rondelles de tomates et servir immédiatement.

CONSEIL

Vous pouvez utiliser des filets de poisson pour cette recette ; réduisez alors le temps de cuisson à 5 à 7 minutes.

Poisson à la mode du Sichuan

4 personnes

INGRÉDIENTS

350 g de filets de poisson à chair blanche	1 gousse d'ail, finement émincée	175 ml de fumet de poisson
1 petit œuf, battu	1 morceau de gingembre frais de 1 cm, finement haché	1 cuil. à café de sucre
3 cuil. à soupe de farine	1 branche de céleri, émincée	1 cuil. à café de maïzena
4 cuil. à soupe de vin blanc sec	1 piment rouge frais, haché	2 cuil. à café d'eau
3 cuil. à soupe de sauce de soja claire	3 oignons verts, émincés	fleurs de piment et feuilles de céleri, en garniture (facultatif)
huile, pour la friture	1/2 cuil. à café de poivre du Sichuan	
1 oignon, finement émincé	1 cuil. à café de vinaigre de riz	

1 Couper le poisson en cubes de 4 cm de côté.

2 Dans une terrine, battre l'œuf, la farine, le vin et 1 cuillerée à soupe de sauce de soja pour former une pâte.

3 Enrober le poisson de la préparation.

4 Chauffer l'huile dans un wok préchauffé jusqu'à ce qu'elle fume. Réduire le feu et faire dorer le poisson 2 à 3 minutes, en plusieurs fournées. Égoutter sur du papier absorbant et réserver.

5 Vider l'huile du wok sauf 1 cuillerée à soupe et remettre sur le feu. Ajouter l'ail, le gingembre, l'oignon, le céleri, le piment et l'oignon vert et cuire 1 à 2 minutes.

6 Incorporer le reste de la sauce de soja et le vinaigre.

7 Ajouter le poivre du Sichuan, le fumet et le sucre. Délayer la maïzena dans l'eau pour former une pâte lisse et l'incorporer au bouillon. Porter à ébullition et cuire 1 minute, en remuant, jusqu'à ce que la sauce épaississe et soit onctueuse.

8 Replacer le poisson dans le wok, cuire 1 à 2 minutes pour qu'il soit bien chaud et servir.

Poisson croustillant

4 personnes

INGRÉDIENTS

450 g de filets de poisson blanc	huile, pour la friture	3 cuil. à soupe de concentré de tomates
PÂTE	**SAUCE**	2 cuil. à soupe de sauce de soja épaisse
60 g de farine	1 piment rouge frais, haché	2 cuil. à soupe d'alcool de riz
1 œuf, jaune et blanc séparés	2 gousses d'ail, hachées	2 cuil. à soupe d'eau
1 cuil. à soupe d'huile d'arachide	1 pincée de poudre de piment	1 pincée de sucre
4 cuil. à soupe de lait	1 cuil. à soupe de vinaigre de riz	

1 Couper le poisson en cubes de 2,5 cm de côté et réserver. Pour la pâte, tamiser la farine dans une terrine et ménager un puits au centre. Ajouter le jaune d'œuf et l'huile, puis le lait, en remuant délicatement pour former une pâte lisse. Laisser reposer 20 minutes.

2 Battre le blanc d'œuf en neige et l'incorporer délicatement à la pâte. Chauffer l'huile dans un wok préchauffé. Tremper le poisson dans la pâte et faire frire 8 à 10 minutes, en plusieurs fournées, jusqu'à ce qu'il soit bien cuit. Retirer du wok et réserver au chaud.

3 Vider l'huile du wok sauf 1 cuillerée à soupe et remettre sur le feu. Pour la sauce, ajouter tous les ingrédients dans le wok et cuire 3 à 4 minutes en remuant.

4 Remettre le poisson dans le wok, bien l'enrober de sauce, et chauffer 2 à 3 minutes. Disposer le poisson et la sauce dans un plat et servir immédiatement.

CONSEIL

Prenez garde lorsque vous videz l'huile, versez-la dans un récipient adapté le temps qu'elle refroidisse.

Méli-mélo de fruits de mer

4 personnes

INGRÉDIENTS

2 cuil. à soupe de vin blanc sec

1 blanc d'œuf, légèrement battu

1/2 cuil. à café de poudre
de cinq-épices

300 g de grosses crevettes crues,
décortiquées et déveinées

125 g de calmars, coupés

en anneaux

125 g de filets de poisson blanc,
coupés en lanières

1 cuil. à café de maïzena

huile, pour la friture

1 poivron vert, épépiné et coupé
en fines lanières

1 carotte, en julienne

4 mini-épis de maïs,
coupés en deux
dans la longueur

1 Dans une terrine,
mélanger le vin,
le blanc d'œuf, la poudre
de cinq-épices et la maïzena,
ajouter les crevettes,
les anneaux de calmar
et les filets de poisson,
et bien mélanger. Retirer le
poisson et les fruits de mer
à l'aide d'une écumoire
et réserver la sauce.

2 Chauffer l'huile dans
un wok préchauffé
et faire frire les crevettes,
les calmars et le poisson

2 à 3 minutes. Retirer
à l'aide d'une écumoire
et réserver.

3 Vider l'huile du wok
sauf 1 cuillerée à soupe
et remettre sur le feu.
Ajouter le poivron,
la carotte et les épis
de maïs. Faire revenir
4 à 5 minutes.

4 Remettre les fruits
de mer et le poisson
dans le wok avec la sauce
réservée, réchauffer sans

cesser de remuer et servir
immédiatement.

CONSEIL

*Pour rendre ce plat
encore plus attrayant,
ouvrez les anneaux
de calmar et incisez-les
en de petites rainures.*

Crevettes sautées aux noix de cajou

4 personnes

INGRÉDIENTS

2 gousses d'ail, hachées	125 g de brocoli, en fleurettes	SAUCE
1 cuil. à soupe de maïzena	1 poivron orange, épépiné	175 ml de fumet de poisson
1 pincée de sucre	et coupé en dés	1 cuil. à soupe de maïzena
450 g de crevettes tigrées crues,	75 g de noix de cajou non salées	1 filet de sauce au piment
décortiquées et déveinées		2 cuil. à café d'huile de sésame
4 cuil. à soupe d'huile		1 cuil. à soupe d'alcool de riz
1 poireau, émincé		

1 Mélanger l'ail, la maïzena et le sucre dans une terrine, et bien enrober les crevettes du mélange.

2 Chauffer l'huile dans un wok préchauffé et ajouter les crevettes. Faire revenir à feu vif 20 à 30 secondes jusqu'à ce que les crevettes rosissent. Les retirer du wok à l'aide d'une écumoire, égoutter sur du papier absorbant et réserver.

3 Mettre le poireau, le brocoli et le poivron dans le wok et faire revenir 2 minutes.

4 Pour la sauce, verser le fumet de poisson, la maïzena, l'huile de sésame et le vin de riz dans un petite terrine, ajouter la sauce au piment et bien mélanger. Ajouter la sauce et les noix de cajou dans le wok, remettre les crevettes dans le wok et réchauffer 1 minute. Disposer le sauté dans un plat de service chaud et servir immédiatement.

VARIANTE

Vous pouvez remplacer les crevettes par du poulet, du porc ou du bœuf émincé. Utilisez 225 g de viande pour 450 g de crevettes.

Crevettes fu yung

4 personnes

INGRÉDIENTS

2 cuil. à soupe d'huile	1 cuil. à soupe de sauce	2 oignons verts, hachés
1 carotte, râpée	de soja claire	2 cuil. à café de graines
5 œufs, battus	1 pincée de poudre	de sésame
225 g de crevettes crues,	de cinq-épices	
décortiquées	1 cuil. à café d'huile de sésame	

1 Chauffer l'huile, dans un wok préchauffé.

2 Ajouter la carotte râpée et cuire 1 à 2 minutes.

3 Pousser la carotte sur le côté du wok et ajouter les œufs. Cuire en remuant doucement 1 à 2 minutes.

4 Ajouter les crevettes, la sauce de soja et la poudre de cinq-épices dans le wok en remuant. Cuire 2 à 3 minutes, jusqu'à ce que les crevettes rosissent et que le mélange soit presque sec.

5 Disposer les crevettes fu yung sur un plat chaud, parsemer d'oignons verts et de graines de sésame, et arroser d'huile de sésame. Servir.

VARIANTE

Pour un plat plus consistant, ajoutez 225 g de riz long grain aux crevettes à l'étape 4. Goûtez et rectifiez la quantité de sauce de soja, de poudre de cinq-épices et d'huile de sésame, si nécessaire.

CONSEIL

Si vous ne trouvez que des crevettes cuites, ajoutez-les en fin de cuisson et veillez à ce qu'elles soient bien incorporées au fu yung. En effet, elles doivent être juste réchauffées, une cuisson excessive les rendrait caoutchouteuses et insipides.

Crevettes cantonaises

4 personnes

INGRÉDIENTS

5 cuil. à soupe d'huile

4 gousses d'ail, hachées

675 g de crevettes crues,
   décortiquées et déveinées

1 morceau de gingembre frais
   de 5 cm, haché

175 g de porc maigre, coupé en dés

1 poireau, émincé

3 œufs, battus

lanières de poireau et julienne
   de poivron rouge, en garniture

riz, en accompagnement

SAUCE

150 ml de fumet de poisson

2 cuil. à soupe de xérès sec

2 cuil. à soupe de sauce
   de soja claire

2 cuil. à café de sucre

4 cuil. à café 1/2 de maïzena

3 cuil. à soupe d'eau

1 Chauffer 2 cuillerées à soupe d'huile dans un wok préchauffé. Ajouter l'ail et cuire 30 secondes. Ajouter les crevettes et faire revenir 5 minutes, jusqu'à ce qu'elles rosissent. Retirer à l'aide d'une écumoire et réserver au chaud.

2 Chauffer le reste d'huile dans le wok jusqu'à ce qu'elle soit très chaude. Ajouter le gingembre, les dés de porc et le poireau. Faire revenir à feu moyen 4 à 5 minutes, jusqu'à ce que le porc soit doré et saisi.

3 Incorporer le xérès, la sauce de soja, le sucre et le fumet de poisson dans le wok et remuer. Délayer la maïzena dans l'eau pour former une pâte lisse et l'ajouter dans le wok. Cuire en remuant jusqu'à ce que la sauce épaississe et soit onctueuse.

4 Remettre les crevettes dans le wok et ajouter les œufs battus. Cuire 5 à 6 minutes en remuant jusqu'à ce que les œufs prennent. Verser sur un plat chaud, garnir de poireau et de poivron et servir avec du riz.

CONSEIL

Si possible, utilisez plutôt du vin de riz que du xérès.

Calmar à la sauce d'huître

4 personnes

INGRÉDIENTS

450 g de calmar
150 ml d'huile
1 morceau de gingembre frais
   de 1 cm, râpé
5 cuil. à soupe de fumet
   de poisson, chaud

60 g de pois mange-tout
triangles de poivron rouge,
   en garniture

SAUCE
1 cuil. à soupe de sauce d'huître
1 cuil. à soupe de sauce
   de soja claire
1 pincée de sucre
1 gousse d'ail, hachée

1 Pour le calmar, couper à l'aide d'un couteau tranchant les blancs dans le sens de la longueur, ouvrir à plat, poser sur l'intérieur et marquer profondément la chair de croisillons.

2 Pour la sauce, mélanger dans une petite terrine la sauce d'huître, la sauce de soja, le sucre et l'ail, remuer jusqu'à dissolution du sucre et réserver.

3 Chauffer l'huile dans un wok préchauffé jusqu'à ce qu'elle soit très chaude. Réduire le feu, ajouter le calmar et faire revenir jusqu'à ce que les morceaux s'enroulent. Retirer à l'aide d'une écumoire et égoutter sur du papier absorbant.

4 Retirer l'huile en laissant 2 cuillerées à soupe et remettre le wok sur le feu. Ajouter les pois mange-tout et le gingembre et faire revenir 1 minute.

5 Remettre le calmar dans le wok et ajouter la sauce et le fumet de poisson chaud. Cuire à feu doux 3 minutes en remuant jusqu'à ce que la sauce épaississe.

6 Disposer sur un plat chaud, garnir de triangles de poivron et servir.

CONSEIL

Ne cuisez pas trop le calmar car il deviendrait caoutchouteux et peu appétissant.

Noix de Saint-Jacques au gingembre

4 personnes

INGRÉDIENTS

2 cuil. à soupe d'huile

450 g de noix de Saint-Jacques,
nettoyées et coupées en deux

1 morceau de gingembre frais
de 2,5 cm, haché

3 gousses d'ail, hachées

2 poireaux, coupés en lanières

125 g de pousses de bambou,
en boîte, égouttées et rincées

1 cuil. à café de sucre

2 cuil. à soupe de sauce
de soja claire

75 g de petits pois, écossés

2 cuil. à soupe de jus d'orange
sans sucre ajouté

zeste d'orange, en garniture

1 Chauffer l'huile dans un wok. Ajouter les noix de Saint-Jacques et cuire 1 à 2 minutes. Les retirer du wok l'aide d'une écumoire et réserver.

2 Mettre le gingembre et l'ail dans le wok et cuire 30 secondes. Ajouter les poireaux et les petits pois, cuire 2 minutes et ajouter les pousses de bambou.

3 Remettre les noix dans le wok. Remuer en prenant soin que le corail ne se détache pas.

4 Incorporer la sauce de soja, le jus d'orange et le sucre et cuire 1 à 2 minutes en remuant. Verser dans un plat, garnir et servir.

CONSEIL

Dans la noix de Saint-Jacques, sont comestibles le muscle blanc ainsi que la partie orange que l'on appelle le corail. La membrane qui entoure le muscle – les ouïes et le manteau – peut être utilisée dans un bouillon. Tout le reste ne doit pas être consommé.

CONSEIL

Vous pouvez utiliser des noix de Saint-Jacques surgelées que vous aurez fait décongeler. Ajoutez-les en fin de cuisson pour éviter que les coraux ne se détachent. Si vous les achetez sans coquille, regardez si elles sont fraîches ou surgelées. Fraîches, elles ont une couleur crème et légèrement translucide, alors que congelées, elles sont d'un blanc pur.

Crabe à la sauce au gingembre

4 personnes

INGRÉDIENTS

2 petits crabes cuits

2 cuil. à soupe d'huile

1 morceau de gingembre frais
de 9 cm, râpé

2 gousses d'ail, finement émincées

2 cuil. à soupe de xérès sec

1 poivron vert, épépiné et coupé
en fines lanières

6 oignons verts, coupés
en tronçons de 2,5 cm
de longueur

1/2 cuil. à café d'huile de sésame

150 ml de fumet de poisson

1 cuil. à café de sucre roux

2 cuil. à café de maïzena

150 ml d'eau

1 Rincer les crabes, retirer la queue qui se trouve dessous à l'aide d'un couteau tranchant, et rincer à nouveau.

2 Arracher les pattes et les pinces en cassant les jointures. À l'aide d'un couperet ou d'une pince à homard, briser les pinces pour laisser apparaître la chair. Retirer les débris de carapace brisée.

3 Détacher le plastron du corps. Jeter les parties non comestibles.

Couper le plastron en deux et de nouveau en deux.

4 Chauffer l'huile dans un wok préchauffé, ajouter l'ail et le gingembre et faire revenir 1 minute. Ajouter les morceaux de crabe et faire revenir de nouveau 1 minute.

5 Incorporer l'oignon vert, le poivron, le xérès, l'huile de sésame, le fumet et le sucre. Porter à ébullition, réduire le feu, couvrir et laisser mijoter 3 à 4 minutes.

6 Délayer la maïzena dans le reste d'eau et incorporer cette pâte au contenu du wok. Porter à ébullition, en remuant, jusqu'à ce que la sauce épaississe et soit onctueuse. Servir.

CONSEIL

*Si vous préférez, retirez
la chair de la carapace avant
de cuire le crabe et ajoutez-la
en même temps que le poivron.*

Cabillaud épicé à l'indonésienne

4 personnes

INGRÉDIENTS

4 darnes de cabillaud

1 tige de lemon-grass

1 petit oignon rouge, haché

3 gousses d'ail, hachées

2 piments rouges frais,
    épépinés et hachés

1 cuil. à café de gingembre frais râpé

1/4 de cuil. à café de curcuma

2 cuil. à soupe de beurre,
    coupé en dés

8 cuil. à soupe de lait de coco
    en boîte

2 cuil. à soupe de jus de citron

sel et poivre

piments rouges, en garniture
    (facultatif)

1 Rincer les darnes et les égoutter sur du papier absorbant.

2 Retirer et jeter les feuilles extérieures du lemon-grass et émincer finement la tige.

3 Mettre le lemon-grass, l'oignon, l'ail, le piment, le gingembre et le curcuma dans un robot de cuisine et hacher finement. Saler et poivrer.

4 Robot en marche, ajouter le beurre, le lait de coco et le jus de citron et continuer à mixer jusqu'à obtention d'une consistance homogène.

5 Mettre le poisson dans une terrine non métallique peu profonde, verser la préparation au lait de coco et en enrober le poisson.

6 Disposer les darnes de préférence sur une grille double à charnières. Cuire au barbecue au-dessus de braises très chaudes 15 minutes, en retournant une fois, jusqu'à ce que le poisson soit cuit à cœur. Garnir éventuellement de piments rouges et servir.

CONSEIL

Pour une saveur plus douce, ne mettez pas de piments. Si, au contraire, vous voulez un plat plus relevé, ne les épépinez pas.

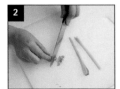

Saumon yakitori

4 personnes

INGRÉDIENTS

350 g de filet de saumon épais	SAUCE YAKITORI	5 cuil. à soupe de fumet de poisson
8 jeunes poireaux	5 cuil. à soupe de sauce	5 cuil. à soupe de vin blanc sec
	de soja claire	3 cuil. à soupe de xérès doux
	2 cuil. à soupe de sucre	1 gousse d'ail, hachée

1 Retirer la peau du saumon et le couper en cubes de 5 cm. Couper les poireaux en tronçons de 5 cm après en avoir retiré les extrémités.

2 Piquer le saumon et les poireaux, en alternant, sur 8 brochettes en bois. Réserver au réfrigérateur.

3 Pour la sauce, mettre les ingrédients dans une casserole et chauffer en remuant, jusqu'à ce que le sucre soit dissous. Porter à ébullition, réduire le feu et laisser mijoter

2 minutes. Filtrer la sauce au chinois et laisser refroidir.

4 Verser un tiers de la sauce dans une terrine et la réserver pour la servir avec les brochettes.

5 Napper les brochettes du reste de sauce et les disposer sur la grille ou sur une feuille de papier d'aluminium huilée. Cuire au barbecue 10 minutes au-dessus de braises très chaudes, en retournant une fois en cours de cuisson, jusqu'à ce qu'elles soient bien cuites. Pendant la cuisson, enduire souvent

les brochettes à l'aide d'un pinceau avec le reste de sauce, pour éviter que le poisson et les légumes ne dessèchent. Disposer sur un plat et servir avec le reste de la sauce.

CONSEIL

Laissez tremper les brochettes en bois dans de l'eau froide 30 minutes pour qu'elles ne brûlent pas à la cuisson. Préparez les ingrédients quelques heures à l'avance et conservez-les au réfrigérateur.

Carrelet grillé à la japonaise

4 personnes

INGRÉDIENTS

4 petits carrelets	1 cuil. à soupe de jus de citron	GARNITURE
6 cuil. à soupe de sauce de soja	2 cuil. à soupe de sucre roux	1 petite carotte
2 cuil. à soupe de saké	1 cuil. à café de gingembre frais,	4 oignons verts
ou de vin blanc sec	râpé	
2 cuil. à soupe d'huile de sésame	1 gousse d'ail, hachée	

1 Rincer les poissons et les égoutter sur du papier absorbant. Pratiquer quelques incisions sur les deux faces de chaque poisson.

2 Mélanger la sauce de soja, le saké ou le vin, l'huile, le jus de citron, le sucre, le gingembre et l'ail dans une grande terrine peu profonde.

3 Mettre les poissons dans la marinade et enrober les deux faces.

Laisser reposer 1 à 6 heures au réfrigérateur.

4 Pour la garniture, couper la carotte en julienne, laver et émincer les oignons verts.

5 Cuire les poissons 10 minutes au barbecue au-dessus de braises très chaudes, en les retournant une fois.

6 Parsemer d'oignons et de carottes, disposer dans un plat et servir.

VARIANTE

Vous pouvez remplacer le carrelet par de la sole et la parsemer de graines de sésame à la place des carottes et des oignons.

Légumes, riz & nouilles

En Extrême-Orient, les légumes sont si abondants et diversifiés qu'ils occupent naturellement un rôle majeur dans l'alimentation. Associés à d'autres ingrédients comme le tofu, ils composent un régime végétarien à la fois sain et économique. Le tofu est produit à partir de soja, cultivé partout dans la région. Il permet des recettes variées et est souvent utilisé dans la cuisine sautée en raison de sa consistance qui lui permet d'absorber parfaitement l'ensemble des saveurs d'un plat.

Le wok est l'ustensile idéal pour cuire les légumes car il permet une cuisson très rapide, donc la conservation de leurs éléments nutritifs et de leur fraîcheur, et aussi pour réaliser un grand nombre de recettes colorées et savoureuses. Certains des plats présentés dans le chapitre suivant sont parfaits en accompagnement, tandis que d'autres, comme les currys de légumes, associent les légumes aux épices et constituent à eux seuls des repas très substantiels.

Les recettes qui suivent démontrent la merveilleuse variété des légumes qui offrent de quoi satisfaire tous les palais et devraient faire les délices de tout un chacun, végétariens ou non.

Nouilles sautées aux champignons

4 personnes

INGRÉDIENTS

250 g de nouilles japonaises aux œufs	450 g de champignons mélangés	2 cuil. à soupe de xérès doux
2 cuil. à soupe d'huile de tournesol	(shiitake, pleurotes,	6 cuil. à soupe de sauce de soja
1 oignon rouge, émincé	champignons noirs)	4 oignons verts, émincés
1 gousse d'ail, hachée	350 g de pak-choi ou de chou chinois	1 cuil. de graines de sésame grillées

1 Mettre les nouilles dans une grande terrine, les recouvrir d'eau bouillante et laisser tremper 10 minutes.

2 Chauffer l'huile de tournesol dans un grand wok préchauffé.

3 Cuire l'oignon rouge et l'ail 2 à 3 minutes, jusqu'à ce qu'ils soient tendres.

4 Ajouter les champignons et faire revenir 5 minutes, jusqu'à ce que les champignons aient ramolli.

5 Égoutter les nouilles soigneusement.

6 Ajouter le pak-choi ou le chou chinois, les nouilles, le xérès et la sauce de soja dans le wok. Mélanger les ingrédients et faire revenir 2 à 3 minutes, jusqu'à ce que le liquide frémisse.

7 Transférer les nouilles aux champignons dans des bols chauds, parsemer de rondelles d'oignons verts et de graines de sésame grillées, et servir immédiatement.

CONSEIL

De plus en plus de variétés de champignons sont disponibles dans les supermarchés. Il est aujourd'hui facile d'obtenir un bon mélange. Vous pouvez également utiliser des champignons de Paris.

Légumes sautés au xérès et à la sauce de soja

4 personnes

INGRÉDIENTS

2 cuil. à soupe d'huile de tournesol	1 poivron rouge, épépiné	SAUCE
1 oignon rouge, émincé	et coupé en lanières	3 cuil. à soupe de xérès demi-sec
175 g de carottes, coupées	1 petite tête de chou chinois,	3 cuil. à soupe de sauce de soja claire
en fines rondelles	coupée en lanières	1 cuil. à café de gingembre en poudre
175 g de courgettes, coupées	225 g de pousses de bambou	1 gousse d'ail, hachée
en demi-rondelles	en boîte, égouttées	1 cuil. à café de maïzena
150 g de germes de soja	150 g de noix de cajou, grillées	1 cuil. à soupe de concentré de tomates

1 Chauffer l'huile de tournesol dans un grand wok préchauffé.

2 Cuire les rondelles d'oignon rouge 2 à 3 minutes, jusqu'à ce qu'elles commencent tout juste à ramollir.

3 Ajouter les carottes, les courgettes et le poivron, et cuire 5 minutes.

4 Ajouter le chou chinois, les germes de soja et les pousses de bambou, et chauffer 2 à 3 minutes, jusqu'à ce que les feuilles de chou commencent tout juste à flétrir.

5 Parsemer les légumes de noix de cajou.

6 Mélanger le xérès, la sauce de soja, l'ail, le gingembre, la maïzena et le concentré de tomates.

7 Verser ce mélange sur les légumes et remuer.

Cuire à feu doux 2 à 3 minutes, jusqu'à ce que le jus commence à épaissir et servir immédiatement.

CONSEIL

Ce plat très varié peut être réalisé avec n'importe quel autre mélange de légumes frais disponible.

Pak-choi sauté à l'oignon rouge et aux noix de cajou

4 personnes

INGRÉDIENTS

2 cuil. à soupe d'huile d'arachide
2 oignons rouges, coupés
en fins quartiers

175 g de chou rouge, coupé
en fines lanières
225 g de pak-choi

2 cuil. à soupe de sauce aux prunes
100 g de noix de cajou, grillées

1 Chauffer l'huile d'arachide dans un grand wok préchauffé.

2 Faire revenir les quartiers d'oignon 5 minutes, jusqu'à ce qu'ils commencent juste à dorer.

3 Ajouter le chou rouge et faire revenir encore 2 à 3 minutes.

4 Ajouter le pak-choi et faire revenir 5 minutes, jusqu'à ce que les feuilles flétrissent.

5 Verser un filet de sauce aux prunes sur les

légumes, bien mélanger et chauffer jusqu'à ce que le liquide frémisse.

6 Ajouter les noix de cajou grillées, verser dans des bols chauds et servir.

CONSEIL

La sauce aux prunes possède une saveur fruitée unique, un peu différente de la sauce aigre-douce.

VARIANTE

Vous pouvez remplacer les noix de cajou par des cacahuètes non salées.

Tofu à la sauce de soja, aux poivrons verts et aux oignons croquants

4 personnes

INGRÉDIENTS

350 g de tofu	1 cuil. à soupe de sauce	1 oignon, émincé
2 gousses d'ail, hachées	au piment douce	1 poivron vert, coupé en dés
4 cuil. à soupe de sauce de soja	6 cuil. à soupe d'huile de tournesol	1 cuil. à soupe d'huile de sésame

1 Couper le tofu en cubes et les mettre dans une terrine peu profonde non métallique.

2 Mélanger l'ail, la sauce de soja et la sauce au piment douce et verser en filet sur le tofu. Mélanger pour que chaque morceau soit enrobé et laisser mariner 20 minutes.

3 Chauffer l'huile de tournesol dans un grand wok préchauffé.

4 Faire revenir les rondelles d'oignon à feu vif jusqu'à ce qu'elles brunissent et deviennent croustillantes. Les retirer du wok à l'aide d'une écumoire et les égoutter sur du papier absorbant.

5 Ajouter le tofu dans l'huile chaude, faire revenir 5 minutes et réserver.

6 Retirer l'huile du wok sauf 1 cuillerée à soupe. Ajouter le poivron vert et faire revenir 2 à 3 minutes, jusqu'à ce qu'il ait ramolli.

7 Remettre le tofu et les oignons dans le wok et chauffer en remuant de temps en temps. Verser un filet d'huile de sésame.

8 Disposer sur des assiettes et servir immédiatement.

CONSEIL

Pour vraiment gagner du temps, achetez du tofu déjà mariné et prêt à servir, disponible en supermarché.

Haricots verts sautés à la laitue et sauce de soja noire

4 personnes

INGRÉDIENTS

1 cuil. à café d'huile pimentée	4 échalotes, émincées	1 laitue iceberg, coupée en lanières
25 g de beurre	1 gousse d'ail, hachée	4 cuil. à soupe de sauce de soja noire
225 g de haricots verts fins, coupés en tronçons	100 g de champignons shiitake, émincés	

1 Chauffer l'huile pimentée et le beurre dans un wok préchauffé.

2 Cuire les haricots verts, les échalotes, l'ail et les champignons 2 à 3 minutes.

3 Ajouter la laitue et faire revenir jusqu'à ce que les feuilles flétrissent.

4 Verser en remuant la sauce de soja noire, chauffer en mélangeant jusqu'à ce que la sauce frémisse et servir.

CONSEIL

Pour la sauce de soja noire, trempez 60 g de haricots noirs séchés une nuit dans de l'eau froide. Égouttez, mettez dans une casserole d'eau froide et faites bouillir 10 minutes. Égouttez à nouveau. Refaites bouillir avec 450 ml de bouillon de légumes. Mélangez 1 cuil. à soupe de vinaigre malté, 1 de sauce de soja, 1 de sucre, 1 de maïzena, 1 piment rouge émincé et 1 morceau de gingembre frais de 1,2 cm. Ajoutez dans la casserole et cuisez à feu doux 40 minutes.

CONSEIL

Si vous pouvez, utilisez des haricots verts chinois, tendres, qui se mangent entiers. Vous les trouverez dans les boutiques chinoises.

Courgettes sautées

4 personnes

INGRÉDIENTS

450 g de courgettes	1 cuil. à café de sel	huile, pour la friture
1 blanc d'œuf	1 cuil. à café de poudre	
50 g de maïzena	de cinq-épices	

1 Couper les courgettes en rondelles ou en gros bâtonnets.

2 Mettre le blanc d'œuf dans une petite terrine et battre légèrement à l'aide d'une fourchette, jusqu'à ce qu'il soit bien mousseux.

3 Mélanger la maïzena, le sel et le cinq-épices, et saupoudrer une grande assiette du mélange.

4 Chauffer l'huile de friture dans un grand wok préchauffé.

5 Passer chaque morceau de courgette dans le blanc d'œuf battu, puis dans le mélange à base de maïzena.

6 Frire plusieurs morceaux de courgette à la fois 5 minutes, jusqu'à ce qu'ils deviennent légèrement dorés et croustillants. Répéter l'opération avec le reste des courgettes.

7 Retirer les courgettes du wok à l'aide d'une écumoire et les égoutter sur du papier absorbant pendant que les autres cuisent.

8 Disposer les courgettes sur des assiettes et servir immédiatement.

VARIANTE

Vous pouvez changer d'assaisonnement en utilisant de la poudre de piment ou de curry.

Boulettes de maïs frites au piment

4 personnes

INGRÉDIENTS

6 oignons verts, émincés	1 cuil. à café de poudre	25 g de copeaux de noix de coco séchée
3 cuil. à soupe de coriandre	de piment doux	1 œuf
fraîche ciselée	1 cuil. à soupe de sauce	75 g de polenta (semoule de maïs)
225 g de maïs en boîte	au piment douce	huile, pour la friture

1 Mélanger dans une terrine les oignons, la coriandre, le maïs doux, la poudre de piment, la sauce au piment, la noix de coco, l'œuf et la polenta, couvrir et laisser reposer 10 minutes.

2 Chauffer l'huile de friture dans un grand wok préchauffé.

3 Verser avec précaution des cuillerées du mélange à base de piment et de polenta dans l'huile chaude et frire les boulettes 4 à 5 minutes, jusqu'à ce qu'elles soient croustillantes et bien dorées.

4 Retirer les boulettes à l'aide d'une écumoire, poser sur du papier absorbant et égoutter.

5 Disposer sur des assiettes et servir avec un peu de sauce au piment douce pour tremper.

CONSEIL

La polenta est une farine jaune moulue à partir de maïs. Vous la trouverez dans les supermarchés ou dans les boutiques diététiques.

CONSEIL

Pour frire sans danger, placez le wok sur un support pour le stabiliser. Ne remplissez le wok qu'à moitié d'huile et ne le laissez jamais sans surveillance sur feu vif.

Rouleaux d'asperges et de poivron

4 personnes

INGRÉDIENTS

100 g de pointes d'asperges vertes	50 g de germes de soja	1 jaune d'œuf, battu
1 poivron rouge, épépiné et coupé en lanières	2 cuil. à soupe de sauce aux prunes	huile, pour la friture
	8 feuilles de pâte filo	

1 Mettre les asperges, le poivron et les germes de soja dans une terrine.

2 Ajouter la sauce aux prunes et bien mélanger.

3 Étaler les feuilles de pâte filo sur un plan de travail.

4 Déposer un peu du mélange à base d'asperges et de poivron à l'extrémité de chaque feuille de pâte et dorer les bords à l'œuf battu.

5 Rouler la pâte en repliant les extrémités pour emballer la farce,

comme pour un rouleau de printemps.

6 Chauffer l'huile de friture dans un grand wok préchauffé.

7 Cuire soigneusement 2 rouleaux à la fois 4 à 5 minutes, jusqu'à ce qu'ils soient croustillants.

8 Retirer les rouleaux du wok à l'aide d'une écumoire et les égoutter sur du papier absorbant.

9 Disposer les rouleaux sur des assiettes chaudes et servir immédiatement.

CONSEIL

Veillez à bien utiliser des asperges fines car elles sont plus tendres que les grosses.

Sauté de carottes à l'orange

4 personnes

INGRÉDIENTS

2 cuil. à soupe d'huile de tournesol
450 g de carottes, râpées
225 g de poireau, coupé en lanières

2 oranges, épluchées et coupées
en quartiers
2 cuil. à soupe de ketchup

1 cuil. à soupe de sucre roux
2 cuil. à soupe de sauce de soja claire
100 g de cacahuètes, concassées

1 Chauffer l'huile de tournesol dans un grand wok préchauffé.

2 Faire revenir les carottes râpées et les poireaux 2 à 3 minutes, jusqu'à ce qu'ils soient juste ramollis.

3 Ajouter les quartiers d'orange et chauffer à feu doux en veillant à ne pas les casser en mélangeant.

4 Mélanger le ketchup, le sucre roux et la sauce de soja dans une terrine.

5 Ajouter le mélange à base de ketchup dans le wok et faire revenir encore 2 minutes.

6 Tranférer le sauté dans des bols chauds, parsemer de morceaux de cacahuètes et servir immédiatement.

VARIANTE

Vous pouvez parsemer de graines de sésame grillées à la place des cacahuètes.

VARIANTE

Vous pouvez remplacer l'orange par de l'ananas. Pour l'ananas en boîte, veillez à ce qu'il soit dans du jus naturel, sinon cela nuirait à la fraîcheur du plat.

Sauté d'épinards aux shiitake et au miel

4 personnes

INGRÉDIENTS

3 cuil. à soupe d'huile d'arachide	2 gousses d'ail, hachées	2 cuil. à soupe de miel liquide
350 g de champignons shiitake, émincés	350 g de jeunes épinards	4 oignons verts, émincés
	2 cuil. à soupe de xérès sec	

1 Chauffer l'huile d'arachide dans un grand wok préchauffé.

2 Faire revenir les champignons shiitake 5 minutes, jusqu'à ce qu'ils aient ramolli.

3 Ajouter l'ail haché et les épinards, et faire revenir 2 à 3 minutes, jusqu'à ce que les épinards soient juste flétris.

4 Mélanger dans une terrine le xérès et le miel, et bien remuer.

5 Verser le mélange à base de xérès en filet sur les épinards et chauffer.

6 Disposer le sauté sur des assiettes chaudes, parsemer d'oignon vert et servir immédiatement.

CONSEIL

La noix muscade complète la saveur des épinards. Vous pouvez en ajouter une pincée à l'étape 3.

CONSEIL

Choisissez un xérès de bonne qualité, sec et pâle. Dans la cuisine orientale, on utilise beaucoup d'alcool de riz, mais le xérès peut sans problèmes remplacer ce dernier.

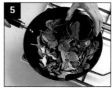

Riz chinois aux légumes

4 personnes

INGRÉDIENTS

350 g de riz long grain blanc

1 cuil. à café de curcuma

2 cuil. à soupe d'huile de tournesol

225 g de courgettes, coupées
en rondelles

150 g de germes de soja

1 poivron rouge, épépiné
et coupé en lanières

1 poivron vert, épépiné
et coupé en lanières

1 piment vert, épépiné
et coupé en lanières

1 carotte moyenne, émincée

6 oignons verts, émincés,
plus quelques rondelles
en garniture

2 cuil. à soupe de sauce de soja

1 Mettre le riz et le curcuma dans une casserole d'eau légèrement salée et porter à ébullition. Réduire le feu et cuire jusqu'à ce que le riz soit juste tendre. Bien égoutter et presser avec une double épaisseur de papier absorbant pour en exprimer toute l'eau.

2 Chauffer l'huile de tournesol dans un grand wok préchauffé.

3 Faire revenir les courgettes 2 minutes.

4 Ajouter les poivrons et le piment et faire revenir 2 à 3 minutes.

5 Incorporer petit à petit le riz cuit au mélange dans le wok, en remuant bien après chaque ajout.

6 Ajouter les carottes, les germes de soja et les oignons, et cuire encore 2 minutes. Verser un filet de sauce de soja et servir, garni de rondelles d'oignon vert.

VARIANTE

Remplacez le curcuma par quelques filaments de safran infusés dans l'eau bouillante.

Sauté de légumes à la sauce hoisin

4 personnes

INGRÉDIENTS

2 cuil. à soupe d'huile de tournesol	1 poivron jaune, épépiné	175 g de germes de soja
1 oignon rouge, émincé	et coupé en dés	4 cuil. à soupe de sauce hoisin
100 g de carottes, coupées	50 g de riz complet, cuit	1 cuil. à soupe de ciboulette
en rondelles	175 g de pois mange-tout	fraîche ciselée

1 Chauffer l'huile de tournesol dans un grand wok préchauffé.

2 Faire revenir le poivron, les rondelles d'oignon rouge et les carottes 3 minutes.

3 Ajouter le riz cuit, les pois mange-tout et les germes de soja, et faire revenir encore 2 minutes.

4 Verser en remuant la sauce hoisin sur les légumes et bien mélanger jusqu'à qu'ils soient bien enrobés et chauds.

5 Disposer sur des assiettes chaudes, parsemer de ciboulette fraîche et servir immédiatement.

CONSEIL

La sauce hoisin, brun foncé à rougeâtre, est faite de pousses de soja, d'ail, de piment et de diverses autres épices. On l'utilise beaucoup dans la cuisine chinoise. On peut aussi la consommer comme sauce de table.

VARIANTE

Ce plat peut être réalisé avec tous les légumes possibles comme des morceaux de brocoli, de mini-épis de maïs, des petits pois, du chou chinois et de jeunes épinards. Vous pouvez aussi y ajouter des pleurotes blanches ou noires pour une plus grande diversité des consistances. Veillez simplement toujours à la diversité des couleurs.

Sauté de chou-fleur aigre-doux et de coriandre

4 personnes

INGRÉDIENTS

450 g de chou-fleur, en fleurettes
2 cuil. à soupe d'huile de tournesol
1 oignon, émincé
225 g de carottes, coupées
en rondelles

100 g de pois mange-tout
1 mangue mûre, coupée en tranches
100 g de germes de soja
3 cuil. à soupe de coriandre
fraîche ciselée

3 cuil. à soupe de jus de citron vert
1 cuil. à soupe de miel liquide
6 cuil. à soupe de lait de coco

1 Porter à ébullition une grande casserole d'eau, ajouter le chou-fleur et cuire 2 minutes. Égoutter soigneusement.

2 Chauffer l'huile de tournesol dans un grand wok préchauffé.

3 Faire revenir l'oignon et les carottes 5 minutes.

4 Ajouter le chou-fleur égoutté et les haricots mange-tout et faire revenir 2 à 3 minutes.

5 Ajouter la mangue et les germes de soja, et cuire 2 minutes.

6 Mélanger dans une terrine la coriandre, le jus de citron vert, le miel et le lait de coco.

7 Ajouter le mélange à base de coriandre au chou-fleur et cuire 2 minutes, jusqu'à ce que le jus frémisse.

8 Disposer le sauté sur des assiettes et servir immédiatement.

VARIANTE

Vous pouvez aussi remplacer le chou-fleur par du brocoli.

Brocoli et chou chinois à la sauce de soja noire

4 personnes

INGRÉDIENTS

450 g de brocoli, en fleurettes

2 cuil. à soupe d'huile de tournesol

1 oignon, émincé

2 gousses d'ail, finement hachées

25 g d'amandes effilées

4 cuil. à soupe de sauce de soja noire

1 tête de chou chinois, coupée en lanières

1 Porter à ébullition une grande casserole d'eau, ajouter le brocoli et cuire 1 minute. Égoutter soigneusement.

2 Chauffer l'huile de tournesol dans un grand wok préchauffé.

3 Faire revenir l'oignon et l'ail jusqu'à ce qu'ils commencent juste à dorer.

4 Ajouter le brocoli et les amandes, et faire revenir 2 à 3 minutes.

5 Ajouter le chou chinois et cuire 2 minutes.

6 Verser en remuant la sauce de soja noire, faire revenir pour mélanger et cuire jusqu'à ce que le jus commence tout juste à frémir.

7 Transférer les légumes dans des bols chauds et servir immédiatement.

VARIANTE

Vous pouvez aussi remplacer les amandes par des noix de cajou sans sel ajouté.

Champignons chinois
au tofu sauté

4 personnes

INGRÉDIENTS

25 g de champignons chinois séchés

450 g de tofu

25 g de maïzena

huile, pour la friture

2 gousses d'ail, finement hachées

100 g de petits pois surgelés ou frais

1 morceau de gingembre frais
de 2,5 cm, râpé

1 Mettre les champignons chinois dans une terrine, couvrir d'eau bouillante et laisser tremper 10 minutes.

2 Couper le tofu en dés.

3 Mettre la maïzena dans une terrine.

4 Passer les morceaux de tofu dans la maïzena pour les enrober.

5 Chauffer l'huile de friture dans un grand wok préchauffé.

6 Frire 2 à 3 minutes plusieurs dés de tofu à la fois, jusqu'à ce qu'ils soient dorés et croustillants. Retirer du wok à l'aide d'une écumoire et égoutter sur du papier absorbant.

7 Retirer l'huile sauf 2 cuillerées à soupe du wok. Ajouter l'ail, le gingembre et les champignons chinois, et cuire 2 à 3 minutes.

8 Remettre le tofu cuit dans le wok et ajouter les petits pois. Chauffer 1 minute et servir chaud.

CONSEIL

Pour plus de goût,
utilisez du tofu
mariné.

Courge musquée sautée
aux noix de cajou et à la coriandre

4 personnes

INGRÉDIENTS

1 kg de courge musquée, épluchée	1 cuil. à café de graines de cumin	GARNITURE
3 cuil. à soupe d'huile d'arachide	2 cuil. à soupe de coriandre ciselée	zeste de citron vert fraîchement
1 oignon, émincé	150 ml de lait de coco	râpé
2 gousses d'ail, hachées	100 ml d'eau	coriandre fraîche
1 cuil. à café de graines de coriandre	100 g de noix de cajou salées	quartiers de citron vert

1 Couper la courge musquée en dés.

2 Chauffer l'huile d'arachide dans un grand wok préchauffé.

3 Cuire la courge, l'oignon et l'ail 5 minutes.

4 Ajouter en remuant les graines de coriandre, de cumin et la coriandre fraîche, et faire revenir 1 minute.

5 Ajouter le lait de coco et l'eau et porter à ébullition. Couvrir le wok et cuire à feu doux 10 à 15 minutes, jusqu'à ce que la courge soit tendre.

6 Ajouter les noix de cajou et bien mélanger.

7 Disposer sur des assiettes chaudes, garnir de zeste de citron vert, de coriandre et de quartiers de citron vert, et servir chaud.

CONSEIL

À défaut de lait de coco, râpez de la noix de coco séchée dans le plat en ajoutant l'eau à l'étape 5.

Gonn au gingembre et aux légumes

4 personnes

INGRÉDIENTS

1 cuil. à soupe de gingembre frais râpé	2 cuil. à soupe de sauce de soja	100 g de haricots verts, coupés
1 cuil. à café de gingembre en poudre	350 g de cubes de tofu sec (gonn)	en tronçons
1 cuil. à soupe de concentré de tomates	225 g de carottes, coupées	1 poivron rouge, épépiné
2 cuil. à soupe d'huile de tournesol	en rondelles	et coupé en lanières
1 gousse d'ail, hachée	4 branches de céleri, émincées	riz nature, en accompagnement

1 Mettre dans une terrine le gingembre frais râpé, le gingembre en poudre, le concentré de tomates, 1 cuillerée à soupe d'huile de tournesol, l'ail, la sauce de soja et le tofu. Bien mélanger le tout avec précaution pour ne pas émietter le tofu. Couvrir et laisser mariner 20 minutes.

2 Chauffer le reste d'huile de tournesol dans un wok préchauffé.

3 Faire revenir le mélange à base de tofu mariné 2 minutes.

4 Ajouter les carottes, les haricots verts, le céleri et le poivron rouge, et faire revenir 5 minutes.

5 Dresser le sauté sur des assiettes chaudes et servir, accompagné de riz fraîchement cuit à l'eau.

VARIANTE

Selon votre goût, vous pouvez remplacer le gonn par du tofu frais.

CONSEIL

Le gingembre frais se conserve plusieurs semaines dans un endroit frais et sec. Vous pouvez le congeler et détacher des morceaux petit à petit.

Poireaux aux mini-épis de maïs et à la sauce aux haricots jaune

4 personnes

INGRÉDIENTS

3 cuil. à soupe d'huile d'arachide	225 g de chou chinois, émincé	6 oignons verts, émincés
450 g de poireaux, émincés	175 g de mini-épis de maïs	4 cuil. de sauce aux haricots jaune

1 Chauffer l'huile dans un grand wok préchauffé.

2 Faire revenir le chou chinois, les poireaux et les épis de maïs coupés en deux à feu vif 5 minutes, jusqu'à ce que les bords des légumes aient légèrement bruni.

3 Ajouter les oignons en remuant pour mélanger.

4 Ajouter la sauce aux haricots jaune et cuire encore 2 minutes, jusqu'à ce qu'elle soit chaude.

5 Verser sur des assiettes chaudes et servir immédiatement.

CONSEIL

La sauce aux haricots jaune ajoute un goût authentique aux sautés. Elle est faite de pousses de soja salées et hachées, mélangées à de la farine et à des épices. Son goût est doux et s'accorde à merveille à toutes sortes de légumes.

CONSEIL

Les mini-épis de maïs sont doux et possèdent une saveur délicate. C'est pourquoi ils conviennent parfaitement à la cuisine sautée.

Sauté de légumes

4 personnes

INGRÉDIENTS

3 cuil. à soupe d'huile d'olive

8 petits oignons, coupés en deux

1 aubergine, coupée en cubes

225 g de courgettes, coupées
en rondelles

225 g de gros champignons
de Paris, coupés en deux

2 gousses d'ail, hachées

400 g de tomates concassées
en boîte

2 cuil. à soupe de concentré
de tomates séchées au soleil

poivre noir fraîchement moulu

feuilles de basilic fraîches,
en garniture

1 Chauffer l'huile d'olive dans un grand wok préchauffé.

2 Faire revenir les petits oignons et l'aubergine 5 minutes, jusqu'à ce que les légumes dorent et commencent à ramollir.

3 Ajouter les courgettes, les champignons, l'ail, les tomates et le concentré de tomates, et faire revenir 5 minutes. Réduire le feu et cuire à feu doux 10 minutes, jusqu'à ce que les légumes soient tendres.

4 Assaisonner de poivre noir fraîchement moulu et de feuilles de basilic, et servir immédiatement.

VARIANTE

Pour un plat principal végétarien, ajoutez des cubes de tofu à l'étape 3.

CONSEIL

La cuisson au wok est idéale pour les légumes car elle constitue un moyen facile et rapide de servir de délicieux plats de légumes croquants et savoureux. Tous les ingrédients doivent être coupés en morceaux de taille égale avec le plus possible de surfaces de coupe pour une cuisson rapide.

Trio de poivrons sautés
aux châtaignes d'eau et à l'ail

4 personnes

INGRÉDIENTS

225 g de poireaux

huile, pour la friture

3 cuil. à soupe d'huile d'arachide

1 poivron jaune, épépiné
et coupé en dés

1 poivron vert, épépiné
et coupé en dés

1 poivron rouge, épépiné
et coupé en dés

2 gousses d'ail, hachées

200 g de châtaignes d'eau en boîte,
égouttées et émincées

3 cuil. à soupe de sauce de soja claire

1 Couper les poireaux en fines lanières pour la garniture.

2 Chauffer l'huile de friture, cuire les poireaux 2 à 3 minutes jusqu'à ce qu'ils soient croustillants, et réserver.

3 Chauffer l'huile d'arachide dans le wok.

4 Cuire les poivrons à feu vif 5 minutes, jusqu'à ce qu'ils commencent à brunir sur les bords et à ramollir.

5 Ajouter les tranches de châtaignes d'eau, l'ail et la sauce de soja claire, et faire revenir tous les légumes 2 à 3 minutes.

6 Disposer le sauté sur des assiettes chaudes.

7 Garnir le sauté de poireaux croustillants.

VARIANTE

Pour un goût plus fort et plus épicé, ajoutez 1 cuillerée à soupe de sauce hoisin à l'étape 5.

Sauté d'aubergines épicé

4 personnes

INGRÉDIENTS

3 cuil. à soupe d'huile d'arachide	2 piments rouges, épépinés	3 cuil. à soupe de chutney à la mangue
2 oignons, émincés	et finement hachés	huile, pour la friture
2 gousses d'ail, hachées	2 cuil. à soupe de sucre roux	2 gousses d'ail émincées,
2 aubergines, coupées en dés	6 oignons verts, émincés	en garniture

1 Chauffer l'huile d'arachide dans un grand wok préchauffé.

2 Ajouter les oignons et l'ail et bien mélanger.

3 Ajouter l'aubergine et les piments, et faire revenir 5 minutes.

4 Ajouter les oignons, le sucre et le chutney à la mangue en remuant bien. Réduire le feu, couvrir et cuire à feu doux 15 minutes en remuant de temps en temps, jusqu'à ce que l'aubergine soit tendre.

5 Transférer le sauté dans des bols et réserver au chaud. Chauffer l'huile de friture dans le wok et faire revenir rapidement les tranches d'ail. Garnir le sauté d'ail frit et servir immédiatement.

CONSEIL

Tournez en permanence les légumes autour du wok car les aubergines absorbent l'huile très rapidement et risquent de commencer à brûler sans surveillance.

CONSEIL

La « force » des piments peut varier, aussi utilisez-les toujours avec parcimonie. On peut dire que les plus petits sont plus forts et les graines, la partie la plus épicée, sont souvent jetées.

Légumes sautés aux cacahuètes et aux œufs

4 personnes

INGRÉDIENTS

2 œufs	1 poivron rouge, épépiné	2 cuil. à soupe de sauce de soja
225 g de carottes	et coupé en fines lanières	75 g de cacahuètes salées,
350 g de chou blanc	150 g de germes de soja	concassées
2 cuil. à soupe d'huile	1 cuil. à soupe de ketchup	

1 Porter à ébullition une petite casserole d'eau. Ajouter les œufs et cuire 7 minutes. Retirer de la casserole et refroidir à l'eau courante 1 minute.

2 Ôter la coquille des œufs et les couper en 4.

3 Peler et râper les carottes grossièrement.

4 Couper le chou blanc en fines lanières.

5 Chauffer l'huile dans un grand wok.

6 Faire revenir les carottes, le chou blanc et le poivron 3 minutes.

7 Ajouter les germes de soja et faire revenir 2 minutes.

8 Ajouter le ketchup, la sauce de soja et les cacahuètes, et faire revenir 1 minute.

9 Disposer le sauté sur des assiettes chaudes, garnir des quartiers d'œufs durs et servir immédiatement.

CONSEIL

Refroidissez les œufs à l'eau courante aussitôt après leur cuisson, cela permet d'éviter que le jaune ne noircisse sur les bords.

Aubergines aux épices

4 personnes

INGRÉDIENTS

450 g d'aubergines, rincées

2 cuil. à café de sel

3 cuil. à soupe d'huile

2 gousses d'ail, hachées

1 morceau de gingembre frais
de 2,5 cm, haché

1 oignon, coupé en deux
et émincé

1 piment rouge frais, émincé

2 cuil. à soupe de sauce
de soja épaisse

1 cuil. à soupe de sauce hoisin

1/2 cuil. à café de sauce au piment

1 cuil. à soupe de sucre roux

1 cuil. à soupe de vinaigre de vin

1 cuil. à soupe de poivre
du Sichuan moulu

300 ml de bouillon de légumes

1 Couper les aubergines en cubes si elles sont grosses, ou en deux si elles sont petites, mettre dans une passoire et saupoudrer de sel. Laisser dégorger 30 minutes, rincer à l'eau courante et égoutter sur du papier absorbant.

2 Chauffer l'huile dans un wok préchauffé et faire fondre l'ail, le gingembre, l'oignon et le piment 30 secondes. Ajouter les aubergines et poursuivre la cuisson 1 à 2 minutes.

3 Ajouter la sauce de soja, la sauce hoisin, la sauce au piment, le sucre, le vinaigre, le poivre du Sichuan et le bouillon de légumes. Réduire le feu et cuire à découvert 10 minutes, jusqu'à ce que les aubergines soient complètement cuites. Augmenter le feu et porter à ébullition, jusqu'à ce que la sauce réduise et soit suffisamment épaisse pour enrober les aubergines. Servir immédiatement.

CONSEIL

Saupoudrer les aubergines de sel et les laisser dégorger permet d'atténuer leur amertume, qui risquerait d'altérer la saveur du plat.

Tofu frit aux légumes

4 personnes

INGRÉDIENTS

450 g de tofu
150 ml d'huile
1 poireau, émincé
4 mini-épis de maïs, coupés
    en deux dans la longueur
1 poivron rouge, épépiné
    et coupé en dés
60 g de pousses de bambou
    en boîte, égouttées et rincées

60 g de pois mange-tout
riz ou nouilles, en accompagnement

SAUCE
1 cuil. à soupe d'alcool de riz
    ou de xérès sec
4 cuil. à soupe de sauce d'huître
3 cuil. à café de sauce de soja claire
2 cuil. à café de sucre

1 pincée de sel
50 ml de bouillon de légumes
1 cuil. à café de maïzena
2 cuil. à café d'eau

1 Rincer le tofu à l'eau courante, le sécher avec du papier absorbant et le couper en cubes de 2,5 cm.

2 Chauffer l'huile dans un wok préchauffé jusqu'à ce qu'elle soit très chaude. Réduire le feu, ajouter le tofu et faire revenir jusqu'à ce qu'il dore. Le retirer du wok à l'aide d'une écumoire et l'égoutter sur du papier absorbant.

3 Vider l'huile sauf 2 cuillerées à soupe et remettre sur le feu. Ajouter le poireau, les épis de maïs, les pois mange-tout, le poivron et les pousses de bambou et faire revenir 2 à 3 minutes.

4 Ajouter le vin de riz chinois ou le xérès, la sauce d'huître, la sauce de soja, le sucre, le sel et le bouillon et porter à ébullition. Délayer

la maïzena dans l'eau pour former une pâte lisse et l'incorporer à la sauce. Porter à ébullition et cuire en remuant, jusqu'à ce que la sauce ait épaissi et soit onctueuse.

5 Ajouter le tofu dans le wok et cuire 1 minute environ, jusqu'à ce que la préparation soit chaude. Servir accompagné de riz ou de nouilles.

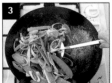

Ragoût de tofu

4 personnes

INGRÉDIENTS

450 g de tofu
2 cuil. à soupe d'huile d'arachide
8 oignons verts, en julienne
2 branches de céleri, émincées
125 g de brocoli, en fleurettes
125 g de courgettes, coupées
    en rondelles
2 gousses d'ail, finement hachées

450 g de jeunes épinards
riz, en accompagnement

SAUCE
425 ml de bouillon de légumes
2 cuil. à soupe de sauce
    de soja claire
3 cuil. à soupe de sauce hoisin
1/2 cuil. à café de poudre de piment
1 cuil. à soupe d'huile de sésame

1 À l'aide d'un couteau tranchant, couper le tofu en cubes de 2,5 cm et réserver.

2 Chauffer l'huile d'arachide dans un wok préchauffé, ajouter les oignons verts, le céleri, le brocoli, les courgettes, l'ail, les épinards et le tofu, et cuire 3 à 4 minutes.

3 Pour la sauce, mélanger dans une cocotte le bouillon de légumes, la sauce de soja, la sauce hoisin, la poudre de piment et l'huile de sésame, et porter à ébullition. Ajouter les légumes et le tofu sautés, réduire le feu, couvrir et laisser frémir 10 minutes.

4 Disposer le tofu et les légumes dans un plat chaud et servir accompagné de riz.

CONSEIL

Vous pouvez modifier la couleur et la saveur de ce plat en ajoutant les légumes de votre choix

VARIANTE

Ajoutez 75 g de champignons de paille frais ou séchés avec les légumes à l'étape 2.

Germes de soja aux légumes

4 personnes

INGRÉDIENTS

450 g de germes de soja

2 piments rouges frais, épépinés et émincés

1 poivron rouge, épépiné et émincé

1 poivron vert, épépiné et émincé

60 g de châtaignes d'eau, coupées en quatre

3 cuil. à soupe de vinaigre de riz

2 cuil. à soupe de sauce de soja claire

1 branche de céleri, émincée

2 cuil. à soupe de ciboulette hachée

1 gousse d'ail, hachée

1 pincée poudre de curry chinois

1 Mettre dans une grande terrine les germes de soja, le piment rouge, les poivrons, les châtaignes d'eau et le céleri, et mélanger.

2 Pour la marinade, mélanger dans une terrine le vinaigre, la sauce de soja, la ciboulette, l'ail et le curry. Verser sur les légumes et bien remuer.

3 Couvrir de film alimentaire et réserver au réfrigérateur 3 heures. Égoutter les légumes, disposer dans un saladier et servir.

CONSEIL

Il existe des centaines de variétés de piments et il est difficile de déterminer s'ils sont très forts ou non. Cependant, en général, les piments vert foncé sont plus forts que les piments vert clair et rouges, et les piments fins et pointus sont plus forts que ceux qui sont plus gros et plus ronds.

CONSEIL

Ce plat est délicieux en accompagnement de viandes rôties ou de nouilles chinoises.

Sauté de chou chinois au miel

4 personnes

INGRÉDIENTS

450 g de chou chinois

1 cuil. à soupe d'huile d'arachide

1 morceau de gingembre frais
de 1 cm, râpé

2 gousses d'ail, hachées

1 piment rouge frais, émincé

1 cuil. à soupe d'alcool de riz
ou de xérès sec

4 cuil. à café 1/2 de sauce
de soja claire

1 cuil. à soupe de miel liquide

125 ml de jus d'orange

1 cuil. à soupe d'huile de sésame

2 cuil. à café de graines
de sésame

zeste d'orange, en garniture

1 Effeuiller le chou chinois et couper les feuilles en fines lanières.

2 Chauffer l'huile d'arachide dans un wok préchauffé. Ajouter le gingembre, l'ail et le piment, et faire revenir 30 secondes.

3 Ajouter les lanières de chou chinois, l'alcool de riz ou le xérès, la sauce de soja, le miel liquide et le jus d'orange, réduire le feu et laisser mijoter à feu doux 5 minutes.

4 Ajouter l'huile de sésame. Parsemer de graines de sésame et remuer pour bien mélanger. Verser dans un plat de service chaud, garnir de zeste d'orange et servir.

CONSEIL

Le miel d'une seule fleur est meilleur, plus spécifique que le miel de fleurs mélangées. Si le miel d'acacia est le plus utilisé dans la cuisine chinoise, essayez le miel de trèfle, de citronnier, ou d'oranger.

VARIANTE

Si vous ne trouvez pas de chou chinois remplacez-le par du chou. Le goût sera un peu différent et la couleur plus foncée, mais le résultat sera tout aussi délicieux.

Sauté vert

4 personnes

INGRÉDIENTS

2 cuil. à soupe d'huile d'arachide	350 g de pak-choï, coupé	1 cuil. à café d'huile de sésame
2 gousses d'ail, hachées	en lanières	1 branche de céleri, émincée
1/2 cuil. à café d'anis étoilé	25 g de pois mange-tout	
en poudre	1 poivron vert, épépiné et coupé	
1 cuil. à café de sel	en lanières	
225 g de jeunes épinards	50 ml de bouillon de légumes	

1 Chauffer l'huile d'arachide dans un wok préchauffé.

2 Ajouter l'ail et faire revenir 30 secondes. Verser en remuant l'anis, le sel, le pak-choï, les épinards, les haricots, le céleri et le poivron et faire revenir 3 à 4 minutes.

3 Ajouter le bouillon de légumes, couvrir et cuire 3 à 4 minutes.

4 Retirer le couvercle et incorporer l'huile de sésame. Remuer pour bien mélanger.

5 Disposer le sauté vert sur un plat et servir immédiatement.

CONSEIL

Servez lors d'un repas végétarien, ou avec une viande rôtie, pour les non-végétariens.

CONSEIL

L'anis étoilé est un élément important de la cuisine chinoise. Les jolies cosses en forme d'étoile sont souvent utilisées pour ajouter une garniture décorative aux plats. La saveur de l'anis étoilé ressemble à celle de la réglisse mais elle est plus forte et comporte des nuances épicées. Elle entre dans la composition de la poudre de cinq-épices.

Croustillant de chou aux amandes

4 personnes

INGRÉDIENTS

1,25 kg de pak-choi ou chou vert	1 cuil. à café de sel
700 ml d'huile	1 cuil. à soupe de sucre roux
75 g d'amandes, mondées	1 pincée de cannelle en poudre

1 Effeuiller le pak-choi et rincer les feuilles. Bien égoutter et sécher avec du papier absorbant.

2 Couper les feuilles en fines lanières.

3 Chauffer l'huile dans un wok préchauffé jusqu'à ce qu'elle soit très chaude.

4 Réduire le feu et ajouter le chou. Faire revenir 2 à 3 minutes, jusqu'à ce que les feuilles flottent dans l'huile et soient croustillantes.

5 Retirer le chou de l'huile à l'aide d'une écumoire et égoutter sur du papier absorbant.

6 Ajouter les amandes dans le wok, faire revenir 30 secondes. Les retirer à l'aide d'une écumoire.

7 Mélanger le sucre roux, le sel et la cannelle, et saupoudrer le chou avec le mélange. Ajouter les amandes au chou en remuant pour bien mélanger. Disposer dans un plat chaud et servir.

CONSEIL

Veillez à ce que le chou soit sec avant de le plonger dans l'huile, pour éviter qu'elle ne gicle. Le chou ne sera pas croustillant s'il est encore humide.

Légumes verts à la crème

4 personnes

INGRÉDIENTS

450 g de chou chinois, coupé
en lanières
2 cuil. à soupe d'huile d'arachide
2 poireaux, émincés
4 gousses d'ail, hachées

300 ml de bouillon de légumes
1 cuil. à soupe de sauce
de soja claire
2 cuil. à café de maïzena
4 cuil. à café d'eau

2 cuil. à soupe de crème fraîche
liquide ou de yaourt nature
1 cuil. à soupe de coriandre ciselée

1 Blanchir le chou à l'eau bouillante 30 secondes. L'égoutter, le rincer à l'eau courante, et l'égoutter de nouveau soigneusement.

2 Chauffer l'huile dans un wok préchauffé et ajouter le chou, les poireaux et l'ail. Cuire 2 à 3 minutes.

3 Ajouter le bouillon et la sauce de soja, réduire le feu, couvrir et laisser frémir 10 minutes.

4 Retirer les légumes du wok à l'aide d'une écumoire et réserver. Porter le bouillon à ébullition et laisser cuire à gros bouillons jusqu'à ce qu'il ait réduit de moitié.

5 Délayer la maïzena dans l'eau et incorporer la pâte obtenue dans le wok. Porter à ébullition et cuire en remuant jusqu'à ce que le mélange ait épaissi et soit onctueux.

6 Réduire le feu et incorporer les légumes et la crème ou le yaourt à la préparation. Laisser mijoter à feu doux encore 1 minute.

7 Disposer les légumes dans un plat, parsemer de coriandre et servir.

CONSEIL

Ne laissez pas la sauce bouillir après avoir ajouté la crème pour qu'elle ne se dissocie pas.

Sauté de concombre au piment

4 personnes

INGRÉDIENTS

2 concombres moyens
2 cuil. à café de sel
1 cuil. à soupe d'huile
2 gousses d'ail, hachées
2 oignons verts, hachés

1 morceau de gingembre frais
de 1 cm, râpé
2 piments rouges frais, émincés
1 cuil. à café de sauce
aux haricots jaune

1 cuil. à soupe de miel liquide
125 ml d'eau
1 cuil. à café d'huile de sésame

1 Éplucher les concombres et les couper en deux dans le sens de la longueur. Épépiner à l'aide d'une petite cuillère.

2 Découper les concombres en bâtonnets et les disposer dans une assiette. Saupoudrer de sel et laisser dégorger 20 minutes. Rincer soigneusement à l'eau courante et égoutter sur du papier absorbant.

3 Chauffer l'huile dans un wok jusqu'à ce qu'elle soit très chaude.

Réduire le feu légèrement et ajouter l'ail, le gingembre, les piments et les oignons verts. Cuire 30 secondes.

4 Incorporer les concombres, la sauce aux haricots jaune et le miel. Cuire 30 secondes.

5 Mouiller avec l'eau et cuire à feu vif jusqu'à évaporation presque complète de l'eau.

6 Arroser d'huile de sésame. Disposer sur un plat de service chaud et servir.

CONSEIL

Le sel, saupoudré sur le concombre, permet de le faire dégorger et d'éviter ainsi de noyer votre plat !

Champignons aux épices

4 personnes

INGRÉDIENTS

2 cuil. à soupe d'huile d'arachide

2 gousses d'ail, hachées

3 oignons verts, émincés

300 g de champignons de Paris

2 gros champignons de couche, émincés

125 g de pleurotes

1 cuil. à café de sauce au piment

1 cuil. à soupe de sauce de soja épaisse

1 cuil. à soupe de sauce hoisin

1 cuil. à soupe de vinaigre de vin

1/2 cuil. à café de poivre du Sichuan moulu

1 cuil. à soupe de sucre roux

1 cuil. à café d'huile de sésame

persil, ciselé, en garniture

1 Chauffer l'huile dans un wok préchauffé jusqu'à ce qu'elle soit très chaude. Réduire le feu, ajouter l'ail et les oignons verts et cuire 30 secondes en remuant.

2 Ajouter la sauce de soja, la sauce au piment, les champignons, la sauce hoisin, le vinaigre de vin, le poivre et le sucre, et cuire 4 à 5 minutes en remuant pour que les champignons soient bien cuits. Arroser d'un filet d'huile de sésame.

3 Disposer dans un plat chaud, garnir de persil et servir immédiatement.

CONSEIL

Cette recette est idéale pour accompagner une viande ou un poisson.

CONSEIL

Si vous disposez de champignons séchés chinois, ajoutez-en une petite quantité pour leur consistance. Les champignons noirs ou oreilles d'arbre sont les plus fréquents. Vous pouvez les acheter séchés dans les épiceries asiatiques et ils doivent être rincés, mis à tremper dans l'eau chaude 20 minutes et rincés de nouveau avant usage.

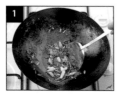

Épinards à l'ail

4 personnes

INGRÉDIENTS

2 gousses d'ail, hachées

1 cuil. à café de lemon-grass haché

900 g d'épinards frais

1 cuil. à soupe de sauce
de soja épaisse

2 cuil. à soupe d'huile d'arachide

2 cuil. à café de sucre roux

sel

1 Retirer soigneusement les tiges des épinards. Rincer et égoutter les feuilles, et les sécher avec du papier absorbant.

2 Chauffer l'huile d'arachide dans un wok préchauffé jusqu'à ce qu'elle soit très chaude.

3 Réduire légèrement le feu, ajouter l'ail et le lemon-grass et faire revenir 30 secondes.

4 Ajouter les feuilles d'épinards et une pincée de sel, et cuire 2 à 3 minutes, jusqu'à ce que les feuilles soient juste flétries.

5 Incorporer la sauce de soja et le sucre, et cuire encore 3 à 4 minutes. Disposer dans un plat chaud et servir en accompagnement d'un plat principal.

CONSEIL

Le lemon-grass peut être acheté frais, séché, en boîte ou en bocal. Sec, il doit être mis à tremper 2 heures avant usage. Les tiges sont dures et sont utilisées entières et retirées du plat avant de servir. Les racines peuvent être hachées ou finement coupées.

CONSEIL

Si vous pouvez, utilisez de jeunes pousses d'épinards, leurs feuilles ont meilleur goût et sont plus appétissantes. Dans ce cas, conservez les tiges.

Légumes frits à la chinoise

4 personnes

INGRÉDIENTS

2 cuil. à soupe d'huile d'arachide

350 g de brocoli, en fleurettes

1 cuil. à soupe de gingembre
frais haché

2 oignons, coupés en huit

125 g de pois mange-tout

3 branches de céleri, émincées

175 g de jeunes épinards

6 oignons verts, coupés en quatre

2 gousses d'ail, hachées

2 cuil. à soupe de sauce
de soja claire

2 cuil. à café de sucre

2 cuil. à soupe de xérès sec

1 cuil. à soupe de sauce hoisin

150 ml de bouillon de légumes

1 Chauffer l'huile
d'arachide dans
un wok préchauffé jusqu'à
ce qu'elle soit très chaude.

2 Ajouter le brocoli,
le gingembre, l'oignon
et le céleri et cuire 1 minute.

3 Ajouter les épinards,
les pois mange-tout,
les oignons verts et l'ail
et cuire 3 à 4 minutes.

4 Mélanger la sauce
de soja, le sucre,
le xérès, la sauce hoisin
et le bouillon, et verser
dans le wok, en mélangeant
pour bien enrober les
légumes. Couvrir et cuire
2 à 3 minutes à feu moyen,
jusqu'à ce que les légumes
soient cuits mais encore
croquants. Verser dans
un plat et servir.

VARIANTE

*Vous pouvez préparer
cette recette avec n'importe
quels légumes, selon
votre goût et la saison.*

CONSEIL

*Utilisez cette préparation pour
fourrer des crêpes chinoises
que vous trouverez dans
les épiceries asiatiques. Elles
se réchauffent en 2 à 3 minutes
dans un panier à étuver.*

Chop suey de légumes

4 personnes

INGRÉDIENTS

1 poivron jaune, épépiné	2 cuil. à soupe d'huile d'arachide	2 cuil. à café de sucre roux
1 poivron rouge, épépiné	3 gousses d'ail, hachées	125 ml de bouillon de légumes
1 carotte	1 cuil. à café de gingembre	
1 courgette	frais râpé	
1 bulbe de fenouil	125 g de germes de soja	
1 oignon	2 cuil. à soupe de sauce	
60 g de pois mange-tout	de soja claire	

1 Émincer les poivrons, la carotte, la courgette et le fenouil. Couper l'oignon en quartiers, et chaque quartier en 2. Couper les pois mange-tout en biais pour créer une surface de cuisson maximale.

2 Chauffer l'huile dans un wok préchauffé, ajouter l'ail et le gingembre et faire revenir 30 secondes. Ajouter l'oignon et faire revenir encore 30 secondes.

3 Ajouter les poivrons rouge et jaune, la carotte, la courgette, les pois mange-tout et le fenouil, et cuire 2 minutes.

4 Ajouter les germes et la sauce de soja, le sucre, et le bouillon en remuant. Réduire le feu et laisser bouillir 1 à 2 minutes, jusqu'à ce que les légumes soient tendres et enrobés.

5 Verser les légumes et la sauce dans un plat de service et servir.

CONSEIL

Pour ce plat, vous pouvez associer toutes sortes de légumes de différentes couleurs.

Sauté de légumes au sésame

4 personnes

INGRÉDIENTS

2 cuil. à soupe d'huile

3 gousses d'ail, hachées

1 cuil. à soupe de graines de sésame,
un peu plus en garniture

2 branches de céleri, émincées

2 mini-épis de maïs, coupés
en rondelles

60 g de champignons de couche

1 poireau, émincé

1 courgette, coupée en rondelles

1 petit poivron rouge, émincé

1 piment vert frais, émincé

60 g de chou chinois, émincé

2 cuil. à soupe de sauce de soja claire

1/2 cuil. à café de poudre
de curry chinois

1 cuil. à soupe d'alcool de riz
ou de xérès sec

1 cuil. à café d'huile de sésame

1 cuil. à café de maïzena

4 cuil. à soupe d'eau

1 Chauffer l'huile dans un wok préchauffé jusqu'à ce qu'elle soit très chaude. Réduire le feu, ajouter l'ail et les graines de sésame et cuire 30 secondes.

2 Ajouter le céleri, le maïs, le poireau, le piment, les champignons, le chou, la courgette, le poivron, et cuire 4 à 5 minutes, jusqu'à ce qu'ils soient tendres.

3 Mélanger le curry chinois, la sauce de soja, l'alcool de riz ou le xérès, l'huile de sésame, la maïzena et l'eau, incorporer dans le wok et porter à ébullition. Cuire en remuant jusqu'à ce que la sauce épaississe et chauffer 1 minute. Verser dans un plat chaud, garnir de graines de sésame et servir, accompagné de riz ou de nouilles.

CONSEIL

Dans cette recette, évitez l'huile d'arachide pour faire frire les ingrédients ; elle ne mettrait pas en valeur la saveur des graines de sésame.

VARIANTE

Vous pouvez remplacer la sauce de soja par de la sauce d'huître.

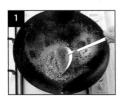

Sauté de haricots verts

4 personnes

INGRÉDIENTS

450 g de haricots verts fins

2 piments rouges frais

1/2 cuil. à café d'anis étoilé
   en poudre

2 cuil. à soupe d'huile d'arachide

1 gousse d'ail, hachée

2 cuil. à soupe de sauce
   de soja claire

2 cuil. à café de miel liquide

1/2 cuil. à café d'huile de sésame

1 Couper les haricots verts en deux.

2 Émincer les piments et, éventuellement, les épépiner pour obtenir un plat moins fort.

3 Chauffer l'huile dans un wok préchauffé jusqu'à ce qu'elle soit chaude.

4 Réduire le feu, ajouter les haricots verts et faire revenir 1 minute.

5 Ajouter le piment rouge, l'anis étoilé et l'ail, et faire revenir 30 secondes.

6 Mélanger dans une terrine la sauce de soja, le miel et l'huile de sésame, verser dans le wok et cuire 2 minutes en remuant pour que les haricots soient enrobés de sauce. Verser dans un plat chaud et servir.

CONSEIL

*Ce plat accompagnera
délicieusement
un poisson
ou une viande légère.*

VARIANTE

*Cette recette peut aussi être
délicieuse avec des choux
de Bruxelles. Épluchez-les
et coupez-les en fines
lanières, puis faites-les
revenir dans l'huile chaude
2 minutes et reprenez
les indications de la recette
à partir de l'étape 5.*

Rouleaux de légumes

4 personnes

INGRÉDIENTS

8 grandes feuilles de chou chinois

FARCE
2 mini-épis de maïs, coupés
en rondelles
1 carotte, finement émincée
1 branche de céleri, émincée

4 oignons verts, émincés
4 châtaignes d'eau, hachées
2 cuil. à soupe de noix de cajou
non salées, concassées
1 gousse d'ail, émincée
1 cuil. à café de gingembre
frais râpé

25 g de pousses de bambou
en boîte, égouttées,
rincées et émincées
1 cuil. à café d'huile de sésame
2 cuil. à café de sauce de soja

1 Mettre les feuilles de chou chinois dans une grande terrine, les couvrir d'eau bouillante pour les ramollir. Laisser tremper 1 minute et égoutter.

2 Mélanger le maïs, l'ail, la carotte, les châtaignes d'eau, le céleri, les oignons verts, les noix de cajou, les pousses de bambou, et le gingembre dans une terrine.

3 Mélanger l'huile de sésame et la sauce de soja. Incorporer aux légumes en remuant bien.

4 Étaler les feuilles de chou sur une planche à découper et répartir la farce au centre des feuilles.

5 Rouler les feuilles en repliant les côtés pour obtenir un rouleau régulier. Sceller à l'aide de piques à cocktail.

6 Placer les rouleaux dans un panier à étuver, couvrir et cuire 15 à 20 minutes. Disposer les rouleaux dans un plat chaud et servir avec de la sauce de soja ou de la sauce au piment.

CONSEIL

Préparez les rouleaux à l'avance. Couvrez-les et conservez-les au réfrigérateur ; cuisez-les selon les instructions de la recette.

Légumes aux huit trésors

4 personnes

INGRÉDIENTS

2 cuil. à soupe d'huile d'arachide

6 oignons verts, émincés

3 gousses d'ail, hachées

1 poivron vert, épépiné
et coupé en dés

1 poivron rouge, épépiné
et coupé en dés

1 piment rouge frais, émincé

2 cuil. à soupe de châtaignes d'eau
hachées

1 courgette, coupée en dés

125 g de pleurotes

3 cuil. à soupe de sauce
de soja noire

2 cuil. à café d'alcool de riz
ou de xérès sec

4 cuil. à soupe de sauce
de soja épaisse

1 cuil. à café de sucre roux

2 cuil. à soupe d'eau

1 cuil. à café d'huile de sésame

1 Faire chauffer l'huile d'arachide dans un wok préchauffé jusqu'à ce qu'elle soit très chaude.

2 Réduire légèrement le feu, ajouter les oignons et l'ail, et cuire 30 secondes.

3 Ajouter les poivrons, le piment rouge, les châtaignes d'eau et la courgette, et cuire 2 à 3 minutes, jusqu'à ce que les légumes commencent à être juste tendres.

4 Ajouter les pleurotes, la sauce de soja noire, l'alcool de riz, la sauce de soja épaisse, le sucre et l'eau, et cuire 4 minutes.

5 Arroser d'un filet d'huile de sésame et servir.

VARIANTE

Ajoutez 225 g de tofu mariné, coupé en dés pour en faire un plat principal pour 4 personnes.

CONSEIL

Les huit trésors sont un élément traditionnel des célébrations du Nouvel An chinois, qui débutent la dernière semaine de l'année chinoise. Le dieu de la cuisine est envoyé faire son rapport au Ciel et revient la veille du jour de l'An à temps pour le festin.

Tofu frit aux épices

4 personnes

INGRÉDIENTS

1 cuil. à soupe de sel marin	2 gousses d'ail, hachées	huile, pour la friture
4 cuil. à café 1/2 de poudre de cinq-épices	1 cuil. à café de gingembre frais râpé	2 poireaux, coupés en deux et émincés
3 cuil. à soupe de sucre roux	450 g de pain de tofu	lanières de poireau, en garniture

1 Mélanger le sel, l'ail, le sucre, le gingembre et la poudre de cinq-épices, et verser dans une assiette.

2 Couper les pains de tofu en 2 en biais pour former 2 triangles. Couper ensuite chaque triangle en 2, puis encore en 2 pour obtenir 16 triangles plus petits.

3 Passer les triangles de tofu dans le mélange aux épices en les retournant pour bien les enrober et laisser reposer 1 heure.

4 Chauffer l'huile dans un wok jusqu'à ce qu'elle soit très chaude. Réduire le feu, ajouter les triangles de tofu et frire 5 minutes, jusqu'à ce qu'ils soient bien dorés. Retirer à l'aide d'une écumoire et réserver au chaud.

5 Ajouter les poireaux dans le wok et cuire 1 minute. Retirer à l'aide d'une écumoire et égoutter sur du papier absorbant.

6 Les disposer sur un plat chaud, garnir de tofu frit et de lanières de poireau, et servir.

CONSEIL

Faites frire le tofu en plusieurs fois et réservez chaque fournée au chaud jusqu'à ce que tout le tofu soit prêt à être servi.

Ragoût de légumes chinois

4 personnes

INGRÉDIENTS

4 cuil. à soupe d'huile	125 g de châtaignes d'eau, coupées en deux	2 cuil. à soupe de xérès sec
2 carottes moyennes, coupées en rondelles	225 g de tofu, coupé en dés	1 cuil. à soupe de maïzena
1 courgette, coupée en rondelles	300 ml de bouillon de légumes	2 cuil. à soupe d'eau
4 mini-épis de maïs, coupés en deux dans la longueur	1 cuil. à café de sel	1 cuil. à soupe de coriandre ciselée, en garniture
125 g de chou-fleur, en fleurettes	2 cuil. à café de sauce de soja épaisse	
1 poireau, émincé	2 cuil. à café de sucre roux	

1 Chauffer l'huile dans un wok préchauffé jusqu'à ce qu'elle soit très chaude.

2 Réduire légèrement le feu, ajouter la carotte, la courgette, le maïs, le chou-fleur et le poireau et faire revenir 2 à 3 minutes.

3 Incorporer les châtaignes d'eau, le tofu, le bouillon, le sel, le sucre, la sauce de soja et le xérès, et porter à ébullition. Réduire le feu, couvrir et laisser mijoter 20 minutes.

4 Délayer la maïzena dans l'eau et former une pâte.

5 Retirer le couvercle du wok et incorporer la pâte de maïzena. Porter à ébullition et cuire en remuant, jusqu'à ce que le ragoût épaississe et soit onctueux.

6 Transférer dans un plat chaud, parsemer de coriandre et servir.

CONSEIL

Si le ragoût n'a pas assez réduit, portez-le à ébullition 1 minute avant d'incorporer la pâte de maïzena.

Pousses de bambou aux poivrons et au gingembre

4 personnes

INGRÉDIENTS

2 cuil. à soupe d'huile d'arachide

225 g de pousses de bambou en boîte, égouttées et rincées

1 morceau de gingembre frais de 2,5 cm, finement émincé

1 petit poivron rouge, épépiné et finement émincé

1 petit poivron vert, épépiné et finement émincé

1 petit poivron jaune, épépiné et finement émincé

1 poireau, émincé

125 ml de bouillon de légumes

1 cuil. à café d'huile de sésame

1 cuil. à soupe de sauce de soja claire

2 cuil. à café de sucre roux

2 cuil. à café d'alcool de riz ou de xérès sec

1 cuil. à café de maïzena

2 cuil. à café d'eau

1 Chauffer l'huile d'arachide dans un wok préchauffé jusqu'à ce qu'elle soit très chaude.

2 Ajouter les pousses de bambou, le gingembre, les poivrons et le poireau, et cuire 2 à 3 minutes.

3 Incorporer le bouillon, la sauce de soja, le sucre et l'alcool de riz, porter à ébullition en remuant et cuire 2 à 3 minutes.

4 Délayer la maïzena dans l'eau pour former une pâte lisse et homogène.

5 Incorporer la pâte de maïzena dans le wok, porter à ébullition et cuire en remuant, jusqu'à ce que la sauce épaississe et soit onctueuse.

6 Arroser les légumes d'un filet d'huile de sésame et cuire encore 1 minute. Transférer dans un plat chaud et servir immédiatement.

CONSEIL

Pour un plat plus épicé, ajoutez 1 piment rouge frais émincé ou quelques gouttes de sauce au piment.

Pousses de bambou aux épinards

4 personnes

INGRÉDIENTS

3 cuil. à soupe d'huile d'arachide
225 g d'épinards, émincés
175 g de pousses de bambou
en boîte, égouttées et rincées

1 gousse d'ail, hachée
2 piments rouges frais, émincés
1 pincée de cannelle en poudre
300 ml de bouillon de légumes

1 pincée de sucre
1 pincée de sel
1 cuil. à soupe de sauce
de soja claire

1 Chauffer l'huile
d'arachide dans
un wok préchauffé.

2 Ajouter les épinards et
les pousses de bambou
et faire revenir 1 minute.

3 Ajouter l'ail, les
piments et la cannelle,
et cuire encore 30 secondes.

4 Incorporer le bouillon,
le sel, la sauce de soja
et le sucre, couvrir et cuire
à feu moyen 5 minutes,
jusqu'à ce que les légumes
soient cuits et que la sauce
ait réduit. Verser les pousses

de bambou et les épinards
dans un plat de service
chaud et servir.

CONSEIL

*S'il reste trop de jus après
5 minutes de cuisson
à l'étape 4, délayez
de la maïzena dans une
quantité double d'eau froide
et incorporez à la sauce.*

CONSEIL

*Les pousses de bambou
fraîches sont rares en
Occident et très longues
à préparer. Les pousses
de bambou en boîte donnent
des résultats satisfaisants
si elles sont utilisées
pour donner du croquant
au plat, et non pour
leur goût, plutôt fade.*

Tofu aigre-doux
aux légumes

4 personnes

INGRÉDIENTS

2 branches de céleri	125 g de germes de soja	SAUCE
1 carotte	450 g de tofu, coupé en cubes	2 cuil. à soupe de sucre roux
1 poivron vert, épépiné	riz ou nouilles,	2 cuil. à soupe de vinaigre de vin
75 g de pois mange-tout	en accompagnement	225 ml de bouillon de légumes
2 cuil. à soupe d'huile		1 cuil. à café de concentré
2 gousses d'ail, hachées		de tomates
8 mini-épis de maïs		1 cuil. à soupe de maïzena

1 Couper le céleri en fines rondelles, et la carotte en julienne, le poivron en dés et les pois mange-tout en deux en biais.

2 Chauffer l'huile dans un wok préchauffé jusqu'à ce qu'elle soit très chaude. Réduire légèrement le feu, ajouter les légumes coupés et les épis de maïs, et cuire 3 à 4 minutes.

3 Incorporer les germes de soja et le tofu et cuire 2 minutes en remuant.

4 Pour la sauce, mélanger le concentré de tomates, le sucre roux, le vinaigre, le bouillon et la maïzena en remuant. Verser dans le wok, porter à ébullition et cuire 1 minute en remuant pour que la sauce épaississe et soit onctueuse. Servir accompagné de riz ou de nouilles.

CONSEIL

Veillez à ne pas émietter le tofu en remuant la préparation.

Brocoli au gingembre

4 personnes

INGRÉDIENTS

1 morceau de gingembre frais
de 5 cm, finement haché

2 cuil. à soupe d'huile d'arachide

1 gousse d'ail, hachée

675 g de brocoli, en fleurettes

1 poireau, émincé

75 g de châtaignes d'eau,
coupées en deux

1/2 cuil. à café de sucre

125 ml de bouillon de légumes

1 cuil. à café de sauce
de soja épaisse

1 cuil. à café de maïzena

2 cuil. à café d'eau

1 Chauffer l'huile dans un wok préchauffé. Ajouter l'ail et le gingembre, et faire revenir 30 secondes. Ajouter le brocoli, le poireau et les châtaignes d'eau et cuire 3 à 4 minutes.

2 Ajouter le bouillon, le sucre et la sauce de soja, réduire le feu et laisser bouillir 4 à 5 minutes, jusqu'à ce que le brocoli soit presque cuit.

3 Mélanger la maïzena et l'eau pour former une pâte lisse. L'incorporer aux légumes dans le wok.

Porter à ébullition et cuire 1 minute en remuant. Verser les légumes dans un plat et servir.

CONSEIL

Vous pouvez aussi couper le gingembre en larges lanières que vous jetterez par la suite, pour un plat au goût un peu moins prononcé.

VARIANTE

Vous pouvez remplacer le brocoli par des épinards. Retirez les tiges et coupez-les en lanières de 5 cm, réservez les lanières et les feuilles séparément. Ajoutez les lanières avec le poireau à l'étape 1 et ajoutez les feuilles 2 minutes plus tard. Réduisez le temps de cuisson de l'étape 2 à 3 à 4 minutes.

Frites chinoises

4 personnes

INGRÉDIENTS

650 g de pommes de terre moyennes	1 piment rouge frais, coupé en deux	1 pincée de sel
2 cuil. à soupe d'huile	2 gousses d'ail, coupées en deux	1 cuil. à café de vinaigre de vin
1 petit oignon, coupé en quatre	2 cuil. à soupe de sauce de soja	1 cuil. à soupe de gros sel
		1 pincée de poudre de piment

1 Éplucher les pommes de terre. Les couper en tranches fines dans la longueur, et les détailler en allumettes.

2 Porter un fait-tout d'eau à ébullition et blanchir les allumettes 2 minutes. Égoutter, rincer à l'eau courante et égoutter de nouveau. Éponger avec du papier absorbant.

3 Chauffer l'huile dans un wok préchauffé jusqu'à ce qu'elle soit brûlante. Y faire revenir le piment, l'oignon et l'ail 30 secondes, et les jeter.

4 Mettre les pommes de terre dans le wok et faire frire 3 à 4 minutes jusqu'à ce qu'elles soient dorées.

5 Ajouter la sauce de soja, le sel et le vinaigre. Réduire le feu et faire revenir 1 minute, jusqu'à ce que les pommes de terre soient croustillantes.

6 Retirer les frites du wok et les égoutter sur du papier absorbant.

7 Transférer dans un plat de service, saupoudrer de gros sel et de poudre de piment, et servir.

VARIANTE

Vous pouvez varier les assaisonnements et servir avec de la poudre de curry ou de la sauce au piment.

Salade de soja

4 personnes

INGRÉDIENTS

350 g de germes de soja
1 poivron vert, épépiné
et en julienne
1 carotte, en julienne
2 tomates, finement concassées

1 branche de céleri, en julienne
1 petit concombre
1 gousse d'ail, hachée
1 trait de sauce au piment
2 cuil. à soupe de sauce

de soja claire
1 cuil. à café de vinaigre de vin
2 cuil. à café d'huile de sésame
16 brins de ciboulette fraîche

1 Blanchir les germes de soja 1 minute à l'eau bouillante. Égoutter, rincer à l'eau courante et égoutter de nouveau.

2 Couper les concombres en deux dans le sens de la longueur, retirer les graines et couper en julienne. Mélanger le poivron vert, la carotte, le céleri, les tomates et les germes de soja.

3 Pour la sauce, mélanger l'ail, la sauce au piment, la sauce de soja, le vinaigre de vin et l'huile de sésame dans une terrine, et verser la sauce sur les légumes, en remuant bien. Disposer dans un plat creux ou dans 4 assiettes, garnir de ciboulette et servir.

CONSEIL

Vous pouvez préparer les légumes à l'avance, mais mélangez-les au dernier moment, car les germes de soja risqueraient de jaunir.

VARIANTE

Remplacez le concombre par 350 g de petits pois ou de mange-tout cuits et froids. Vous pouvez également choisir une autre variété de germes pour obtenir un plat un peu différent : adzuki, alfalfa ou mungo, par exemple.

Riz sauté aux haricots épicés

4 personnes

INGRÉDIENTS

3 cuil. à soupe d'huile de tournesol

1 oignon, finement haché

225 g de riz long grain blanc

1 cuil. à café de poudre de piment

1 poivron vert, épépiné
et coupé en dés

600 ml d'eau bouillante

100 g de maïs en boîte

225 g de haricots rouges en boîte

2 cuil. à soupe de coriandre fraîche
ciselée, un peu plus en garniture
(facultatif)

1 Chauffer l'huile de tournesol dans un grand wok préchauffé.

2 Faire revenir l'oignon 2 minutes, jusqu'à ce qu'il ait ramolli.

3 Ajouter le riz, les dés de poivron et la poudre de piment et faire revenir 1 minute.

4 Verser 600 ml d'eau bouillante dans le wok. Porter à ébullition, réduire le feu et cuire à feu doux 15 minutes.

5 Ajouter le maïs, les haricots et la coriandre et chauffer en remuant de temps en temps.

6 Dresser dans un plat et servir chaud, parsemé de coriandre fraîche ciselée.

CONSEIL

Pour obtenir du riz parfaitement frit, faites tremper le riz cru dans une terrine d'eau peu avant la cuisson afin d'éliminer l'amidon. Vous pouvez aussi remplacer le riz long grain par du riz à grain rond oriental.

VARIANTE

Pour un plat plus épicé, ajoutez 1 piment rouge haché avec la poudre de piment à l'étape 3.

Riz à la noix de coco

4 personnes

INGRÉDIENTS

275 g de riz long grain blanc	1/2 cuil. à café de sel	25 g de copeaux de noix de coco
600 ml d'eau	100 ml de lait de coco	séchée

1 Rincer soigneusement le riz à l'eau courante jusqu'à ce que l'eau soit claire.

2 Égoutter le riz dans une passoire posée sur une grande terrine.

3 Mettre le riz dans un wok avec 600 ml d'eau.

4 Ajouter le sel et le lait de coco, et porter à ébullition. Couvrir le wok, réduire le feu et cuire 10 minutes.

5 Retirer le couvercle et passer une fourchette dans le riz : il doit avoir absorbé tout le liquide et les grains doivent être tendres.

6 Remplir un plat chaud du riz à la noix de coco et parsemer de noix de coco séchée. Servir immédiatement.

CONSEIL

Rincez le riz à l'eau courante froide. Cela permet d'éliminer un peu d'amidon et d'éviter que les grains ne collent.

CONSEIL

Le lait de coco n'est pas le liquide contenu dans la noix de coco – appelé eau de coco. Il s'obtient à partir de chair de noix de coco fraîche trempée dans de l'eau et pressée pour en extraire toute la saveur. Vous pouvez faire votre propre lait de coco ou en acheter en boîte.

Riz sauté aux oignons et poulet au cinq-épices

4 personnes

INGRÉDIENTS

1 cuil. à soupe de poudre
de cinq-épices

350 g de blanc de poulet,
sans la peau et coupé en cubes

2 cuil. à soupe de maïzena

3 cuil. à soupe d'huile d'arachide

1 oignon, coupé en dés

225 g de riz long grain blanc

1/2 cuil. à café de curcuma

600 ml de bouillon de poulet

2 cuil. à soupe de ciboulette fraîche
ciselée

1 Mettre dans une grande terrine la poudre de cinq-épices et la maïzena. Ajouter les morceaux de poulet et les enrober du mélange.

2 Chauffer 2 cuillerées à soupe d'huile dans un grand wok préchauffé. Cuire les morceaux de poulet 5 minutes. Retirer le poulet à l'aide d'une écumoire et réserver.

3 Ajouter le reste d'huile d'arachide dans le wok.

4 Faire revenir l'oignon 1 minute.

5 Ajouter le riz, le curcuma et le bouillon, et porter à ébullition.

6 Remettre les morceaux de poulet dans le wok, réduire le feu et cuire à feu doux 10 minutes, jusqu'à ce que tout le liquide ait été absorbé et que le riz soit tendre.

7 Ajouter la ciboulette en remuant, bien mélanger et servir chaud.

CONSEIL

Maniez le curcuma avec précaution car il laisse des traces jaunes sur les mains et les vêtements.

Riz chinois au poulet

4 personnes

INGRÉDIENTS

350 g de riz long grain blanc	1 poivron rouge, épépiné et coupé en lanières	1 carotte moyenne, grossièrement râpée
1 cuil. à café de curcuma	1 poivron vert, épépiné et coupé en lanières	150 g de germes de soja
2 cuil. à soupe d'huile de tournesol	1 piment vert, épépiné et finement haché	6 oignons verts, plus quelques rondelles en garniture
350 g de blanc ou de cuisse de poulet, désossé, sans la peau et coupé en cubes		2 cuil. à soupe de sauce de soja

1 Mettre le riz et le curcuma dans une casserole d'eau légèrement salée et cuire 10 minutes jusqu'à ce que les grains de riz soient juste tendres. Égoutter soigneusement le riz et le presser avec une double épaisseur de papier absorbant pour en exprimer toute l'eau.

2 Chauffer l'huile de tournesol dans un grand wok préchauffé.

3 Faire revenir les morceaux de poulet à feu vif jusqu'à ce qu'ils commencent tout juste à dorer.

4 Ajouter les poivrons et le piment et faire revenir 2 à 3 minutes.

5 Ajouter le riz petit à petit en faisant revenir après chaque ajout pour bien mélanger.

6 Ajouter la carotte, les germes de soja et les oignons, et cuire encore 2 minutes.

7 Verser un filet de sauce de soja et mélanger.

8 Garnir éventuellement d'oignon vert et servir immédiatement.

VARIANTE

Vous pouvez aussi remplacer le poulet par du porc mariné à la sauce hoisin.

Riz sauté au porc et au piment doux

4 personnes

INGRÉDIENTS

450 g de filet de porc

2 cuil. à soupe d'huile de tournesol

2 cuil. à soupe de sauce au piment
    douce, un peu plus pour décorer

1 oignon, émincé

175 g de carottes, en julienne

175 g de courgettes, en julienne

275 g de riz long grain blanc, cuit

100 g de pousses de bambou
    en boîte, égouttées

1 œuf, battu

1 cuil. à soupe de persil frais ciselé

1 Couper le porc en tranches fines.

2 Chauffer l'huile de tournesol dans un grand wok préchauffé.

3 Faire revenir le porc 5 minutes.

4 Ajouter la sauce au piment et laisser bouillir 2 à 3 minutes en remuant, jusqu'à obtenir une consistance sirupeuse.

5 Ajouter les oignons, les courgettes, les carottes, et les pousses de bambou, et faire revenir encore 3 minutes.

6 Ajouter le riz cuit et faire revenir 2 à 3 minutes, jusqu'à ce que le riz soit bien chaud.

7 Verser l'œuf battu au-dessus du riz sauté et cuire en remuant tous les ingrédients jusqu'à ce que les œufs prennent.

8 Parsemer de persil frais et servir immédiatement accompagné éventuellement de sauce au piment douce.

CONSEIL

Pour une réalisation vraiment rapide, ajoutez un mélange de légumes surgelés au riz au lieu de légumes frais à préparer.

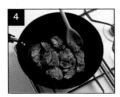

Riz cantonais et bœuf au sept-épices

4 personnes

INGRÉDIENTS

225 g de riz long grain blanc
600 ml d'eau
350 g de filet de bœuf
2 cuil. à soupe de sauce de soja
2 cuil. à soupe de ketchup

1 cuil. à soupe de poudre
de sept-épices thaï
2 cuil. à soupe d'huile d'arachide
1 oignon, coupé en dés
225 g de carottes, coupées en dés

100 g de petits pois surgelés
2 œufs, battus
2 cuil. à soupe d'eau froide

1 Rincer le riz à l'eau courante et l'égoutter soigneusement. Le mettre dans une casserole avec 600 ml d'eau, porter à ébullition, couvrir et cuire à feu doux 12 minutes. Étaler le riz cuit sur un plateau et le laisser refroidir.

2 Couper le bœuf en tranches fines.

3 Mélanger la sauce de soja, le ketchup et la poudre de sept épices thaï, verser ce mélange sur le bœuf et bien remuer pour l'enrober entièrement.

4 Chauffer l'huile d'arachide dans un grand wok préchauffé.

5 Faire revenir le bœuf 3 à 4 minutes.

6 Ajouter l'oignon, les carottes et les petits pois et cuire 2 à 3 minutes.

7 Ajouter le riz cuit en remuant pour bien mélanger.

8 Battre les œufs avec 2 cuillerées à soupe d'eau froide. Verser doucement sur le riz et faire revenir 3 à 4 minutes,

jusqu'à ce que le riz soit bien chaud et que les œufs aient pris.

9 Dresser dans un plat chaud et servir immédiatement.

VARIANTE

Vous pouvez, selon votre goût, remplacer le bœuf par du filet de porc ou du poulet.

Riz sauté à la saucisse chinoise

4 personnes

INGRÉDIENTS

350 g de saucisse chinoise

2 cuil. à soupe d'huile de tournesol

2 cuil. à soupe de sauce de soja

1 oignon, émincé

175 g de carottes, en julienne

100 g de cubes d'ananas en boîte, égouttés

175 g de petits pois

275 g de riz long grain, cuit

1 œuf, battu

1 cuil. à soupe de persil frais ciselé

1 Couper la saucisse en fines rondelles.

2 Chauffer l'huile dans un grand wok préchauffé.

3 Faire revenir la saucisse 5 minutes.

4 Ajouter en remuant la sauce de soja et laisser frémir 2 à 3 minutes, jusqu'à obtenir une consistance sirupeuse.

5 Ajouter l'oignon, les carottes, les petits pois et l'ananas et faire revenir encore 3 minutes.

6 Ajouter le riz cuit et faire revenir 2 à 3 minutes, jusqu'à ce que le riz soit bien chaud.

7 Verser l'œuf battu sur le riz et cuire en faisant revenir les ingrédients dans le wok jusqu'à ce que l'œuf prenne.

8 Dresser le riz sauté dans un grand plat chaud, parsemer abondamment de persil frais et servir immédiatement.

CONSEIL

Pour gagner du temps et préparer un repas en quelques minutes, cuisez du riz supplémentaire et congelez-le pour la préparation ultérieure d'autres plats de riz présentés ici.

Risotto chinois

4 personnes

INGRÉDIENTS

2 cuil. à soupe d'huile d'arachide	2 gousses d'ail, hachées	275 g de riz pour risotto
1 oignon, émincé	225 g de saucisse chinoise	850 ml de bouillon de légumes
1 cuil. à café de poudre	225 g de carottes, coupées en dés	ou de poulet
de cinq-épices	1 poivron vert, coupé en dés	1 cuil. à soupe de ciboulette fraîche

1 Chauffer l'huile d'arachide dans un grand wok préchauffé.

2 Faire revenir l'oignon, l'ail et le cinq-épices 1 minute.

3 Ajouter la saucisse chinoise coupée en rondelles, les carottes et le poivron vert et mélanger.

4 Ajouter en remuant le riz et cuire 1 minute.

5 Ajouter le bouillon petit à petit en remuant jusqu'à ce que le liquide ait été absorbé et que les grains de riz soient tendres.

6 Ajouter la ciboulette ciselée avec le reste du bouillon.

7 Dresser le risotto dans des bols chauds et servir immédiatement.

CONSEIL

La saucisse chinoise, au goût fort, se compose de graisse et de viande de porc hachée, et d'épices.

VARIANTE

À défaut de saucisse chinoise, prenez une saucisse portugaise épicée.

Riz congee au crabe

4 personnes

INGRÉDIENTS

225 g de riz rond
1,5 l de fumet de poisson
1/2 cuil. à café de sel

100 g de saucisse chinoise,
coupée en fines rondelles
225 g de chair de crabe blanche

6 oignons verts, émincés
2 cuil. à soupe de coriandre ciselée

1 Mettre le riz dans un grand wok préchauffé.

2 Ajouter le fumet de poisson et porter à ébullition. Réduire le feu et cuire à feu doux 1 heure en remuant de temps en temps.

3 Ajouter le sel, la saucisse chinoise, le crabe, les oignons et la coriandre et chauffer 5 minutes.

4 Ajouter un peu d'eau si le mélange est trop épais.

5 Verser le riz congee au crabe dans des bols chauds et servir.

CONSEIL

Le riz rond absorbe le liquide plus lentement que le riz long grain et donne donc un plat à la consistance différente. Un riz pour risotto, tel que l'arborio, conviendrait également.

CONSEIL

Utilisez la chair de crabe, fraîche, surgelée ou en boîte. La saveur délicate et douce du crabe diminue rapidement, c'est pourquoi de nombreux cuisiniers chinois achètent des crabes vivants. En Occident, les crabes sont presque toujours vendus déjà cuits et prêts à servir. Pour choisir un crabe, il doit paraître lourd par rapport à sa taille et on ne doit pas entendre de bruit d'eau à l'intérieur lorsqu'on l'agite.

Poulet chow mein

4 personnes

INGRÉDIENTS

1 paquet de 250 g de nouilles
aux œufs moyennes

2 cuil. à soupe d'huile de tournesol

275 g de blanc de poulet, cuit,
coupé en lanières

1 gousse d'ail, finement hachée

1 poivron rouge, épépiné et coupé
en fines lanières

100 g de champignons shiitake,
émincés

6 oignons verts, émincés

100 g de germes de soja

3 cuil. à soupe de sauce de soja

1 cuil. à soupe d'huile de sésame

1 Mettre les nouilles
dans une grande
terrine et les casser
légèrement.

2 Couvrir les nouilles
d'eau bouillante
et laisser tremper pendant
la préparation des autres
ingrédients.

3 Chauffer l'huile
de tournesol dans
un grand wok préchauffé.

4 Faire revenir
les lanières de poulet,
les morceaux d'ail,
les tranches de poivron,

les champignons, les oignons
et les germes de soja
5 minutes.

5 Égoutter les nouilles
soigneusement.
Les ajouter au wok, bien
remuer et faire revenir
encore 5 minutes.

6 Verser en filet la sauce
de soja et l'huile
de sésame sur le chow mein
et bien mélanger le tout.

7 Dresser le chow mein
de poulet dans
des bols chauds et servir
immédiatement.

VARIANTE

*Pour un plat végétarien,
vous pouvez aussi
réaliser ce chow mein
avec un choix de légumes.*

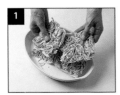

Nouilles aux œufs
au poulet et à la sauce d'huître

4 personnes

INGRÉDIENTS

250 g de nouilles aux œufs

450 g de cuisses de poulet

2 cuil. à soupe d'huile d'arachide

100 g de carottes, coupées
en rondelles

3 cuil. à soupe de sauce d'huître

2 œufs

3 cuil. à soupe d'eau

1 Mettre les nouilles dans une grande terrine ou un plat. Les couvrir d'eau bouillante et laisser tremper 10 minutes.

2 Retirer la peau des cuisses de poulet et couper la viande en dés.

3 Chauffer l'huile d'arachide dans un grand wok préchauffé.

4 Faire revenir les morceaux de poulet et les rondelles de carottes 5 minutes.

5 Égoutter les nouilles soigneusement. Les ajouter au wok et faire revenir encore 2 à 3 minutes, jusqu'à ce qu'elles soient bien chaudes.

6 Battre ensemble la sauce d'huître, les œufs et 3 cuillerées à soupe d'eau froide. Verser doucement le mélange sur les nouilles et cuire encore 2 à 3 minutes, jusqu'à ce que les œufs prennent. Dresser dans des bols et servir chaud.

VARIANTE

Vous pouvez parfumer avec de la sauce de soja ou de la sauce hoisin, plutôt qu'avec de la sauce d'huître.

Bœuf pimenté au gingembre et nouilles

4 personnes

INGRÉDIENTS

225 g de nouilles aux œufs moyennes	1 gousse d'ail, hachée	2 cuil. à soupe de marmelade de citron vert
350 g de filet de bœuf	1 piment rouge, épépiné et finement haché	2 cuil. à soupe de sauce de soja
2 cuil. à soupe d'huile de tournesol	100 g de carottes, en julienne	huile, pour la friture
1 cuil. à café de gingembre en poudre	6 oignons verts, émincés	

1 Mettre les nouilles dans une grande terrine ou un plat. Les recouvrir d'eau bouillante et laisser tremper 10 minutes pendant que les autres ingrédients cuisent.

2 Couper le bœuf en tranches fines.

3 Chauffer l'huile de tournesol dans un grand wok préchauffé.

4 Cuire le bœuf et le gingembre 5 minutes.

5 Ajouter l'ail, le piment, les carottes et les oignons et faire revenir encore 2 à 3 minutes.

6 Ajouter la marmelade de citron vert et la sauce de soja et laisser frémir 2 minutes. Retirer le mélange de bœuf pimenté et de gingembre, et réserver au chaud.

7 Chauffer l'huile dans le wok.

8 Égoutter les nouilles soigneusement et les sécher avec du papier absorbant. Les plonger avec précaution dans l'huile chaude et les frire 2 à 3 minutes, jusqu'à ce qu'elles soient croquantes. Les égoutter sur du papier absorbant.

9 Répartir les nouilles sur 4 assiettes, disposer par-dessus le bœuf pimenté au gingembre et servir.

VARIANTE

Vous pouvez remplacer le bœuf par du porc ou du poulet.

Agneau double-cuisson aux nouilles

4 personnes

INGRÉDIENTS

250 g de nouilles aux œufs
450 g de filet d'agneau, coupé
en fines lanières

2 cuil. à soupe de sauce de soja
2 cuil. à soupe d'huile de tournesol
2 gousses d'ail, hachées

1 cuil. à soupe de sucre en poudre
2 cuil. à soupe de sauce d'huître
175 g de jeunes épinards

1 Mettre les nouilles dans une terrine, les recouvrir d'eau bouillante et laisser tremper 10 minutes.

2 Porter une grande casserole d'eau à ébullition, ajouter l'agneau et cuire 5 minutes. Égoutter.

3 Mettre les tranches d'agneau dans une terrine et mélanger avec la sauce de soja et 1 cuillerée à soupe d'huile de tournesol.

4 Chauffer le reste d'huile de tournesol dans un wok préchauffé.

5 Faire revenir l'agneau mariné et l'ail 5 minutes, jusqu'à ce qu'ils commencent juste à brunir.

6 Ajouter le sucre et la sauce d'huître, et bien mélanger le tout.

7 Égoutter les nouilles soigneusement, les ajouter au wok et faire revenir encore 5 minutes.

8 Ajouter les épinards et cuire 1 minute, jusqu'à ce que les feuilles soient juste flétries. Dresser l'agneau et les nouilles dans des bols et servir chaud.

CONSEIL

Pour des nouilles sèches, suivez les instructions figurant sur le paquet car le trempage est plus court.

Nouilles aux crevettes et au jambon

4 personnes

INGRÉDIENTS

250 g de fines nouilles de riz

4 cuil. à soupe d'huile d'arachide

2 gousses d'ail, hachées

2 piments rouges, épépinés
et très finement hachés

2 cuil. à soupe de pâte de curry
de Madras

100 g de champignons, émincés

1 cuil. à café de gingembre frais râpé

225 g de jambon cuit, coupé
en fines lanières

2 cuil. à soupe de vinaigre de riz

1 cuil. à soupe de sucre

100 g de châtaignes d'eau en boîte,
émincées

1 poivron rouge, épépiné et émincé

100 g de petits pois

100 g de crevettes décortiquées

2 gros œufs

4 cuil. à soupe de lait de coco

25 g de copeaux de noix de coco
séchée

2 cuil. à soupe de coriandre fraîche
ciselée

1 Mettre les nouilles dans une terrine, les recouvrir d'eau bouillante et laisser tremper 10 minutes. Égoutter les nouilles soigneusement et les mélanger à 2 cuillerées à soupe d'huile d'arachide.

2 Chauffer l'huile restante dans un grand wok préchauffé. Faire revenir l'ail, les piments, le gingembre, la pâte de curry, le vinaigre de vin et le sucre 1 minute.

3 Ajouter le jambon, les châtaignes d'eau, les champignons, les petits pois et le poivron rouge, et faire revenir 5 minutes.

4 Ajouter les nouilles et les crevettes, et faire revenir 2 minutes.

5 Battre ensemble les œufs et le lait de coco, verser doucement le mélange dans le wok et faire revenir jusqu'à ce que les œufs prennent.

6 Ajouter la noix de coco séchée et la coriandre ciselée, et bien mélanger le tout. Disposer les nouilles sur des assiettes chaudes et servir immédiatement.

VARIANTE

*Vous pouvez remplacer
les nouilles de riz
par des nouilles aux œufs.*

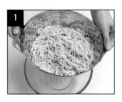

Nouilles aigres-douces

4 personnes

INGRÉDIENTS

3 cuil. à soupe de sauce de poisson	2 cuil. à soupe de concentré	175 g de carottes, râpées
2 cuil. à soupe d'extrait de vinaigre	de tomates	150 g de germes de soja
blanc	3 gousses d'ail, hachées	2 œufs, battus
2 cuil. à soupe de sucre	350 g de nouilles de riz, trempées	225 g de gambas, décortiquées
ou de sucre de palme	5 minutes dans l'eau bouillante	50 g de cacahuètes, concassées
2 cuil. à soupe d'huile de tournesol	8 oignons verts, émincés	1 cuil. à café de piments en flocons

1 Mélanger dans une petite terrine la sauce de poisson, le vinaigre, le sucre et le concentré de tomates, et réserver.

2 Chauffer l'huile de tournesol dans un grand wok préchauffé.

3 Faire revenir l'ail 30 secondes.

4 Bien égoutter les nouilles, les ajouter au wok avec le mélange à base de sauce de poisson et de concentré de tomates, et bien mélanger.

5 Ajouter les oignons, les carottes et les germes de soja, et faire revenir 2 à 3 minutes.

6 Déplacer le contenu du wok sur un côté, verser les œufs battus du côté vide et cuire jusqu'à ce qu'ils prennent. Ajouter les nouilles, les crevettes et les cacahuètes, et bien mélanger le tout.

7 Disposer sur des assiettes chaudes, garnir de flocons de piment et servir chaud.

CONSEIL

Vous trouverez du piment en flocons au rayon épices des grands supermarchés.

Nouilles au piment et aux crevettes

4 personnes

INGRÉDIENTS

250 g de vermicelles fins

2 cuil. à soupe d'huile de tournesol

1 oignon, émincé

2 piments rouges, épépinés
et très finement hachés

4 feuilles de lime, ciselées

1 cuil. à soupe de coriandre fraîche

2 cuil. à soupe de sucre de palme
ou de sucre

2 cuil. à soupe de sauce de poisson

450 g de crevettes tigrées crues,
décortiquées

1 Mettre les nouilles dans une grande terrine. Les recouvrir d'eau bouillante, laisser tremper 5 minutes et égoutter.

2 Chauffer l'huile de tournesol dans un grand wok préchauffé.

3 Faire revenir l'oignon, les piments et les feuilles de lime 1 minute.

4 Ajouter la coriandre, le sucre de palme, la sauce de poisson et les crevettes et faire revenir encore 2 minutes, jusqu'à ce que les crevettes rosissent.

5 Ajouter les nouilles, bien mélanger et faire revenir 1 à 2 minutes, jusqu'à ce qu'elles soient bien chaudes.

6 Dresser dans des bols chauds et servir.

CONSEIL

*La sauce de poisson
est essentielle dans la cuisine
thaïlandaise. On la trouve
sous le nom de* nam pla.

CONSEIL

*À défaut de crevettes
tigrées crues, utilisez
des crevettes cuites
et ne les cuisez
avec les nouilles
qu'1 minute, juste
pour les réchauffer.*

Cabillaud sauté et mangue aux nouilles

4 personnes

INGRÉDIENTS

250 g de nouilles aux œufs
450 g de filet de cabillaud,
  sans la peau
1 cuil. à soupe de paprika
2 cuil. à soupe d'huile de tournesol
1 oignon rouge, émincé

1 poivron orange, épépiné et coupé
  en lanières
1 poivron vert, épépiné et coupé
  en lanières
100 g de mini-épis de maïs,
  coupés en deux

1 mangue, coupée en tranches
100 g de germes de soja
2 cuil. à soupe de ketchup
2 cuil. à soupe de sauce de soja
2 cuil. à soupe de xérès demi-sec
1 cuil. à café de maïzena

1 Mettre les nouilles dans un grande terrine, les recouvrir d'eau bouillante et laisser tremper 10 minutes.

2 Rincer les filets de cabillaud et les sécher avec du papier absorbant. Couper en fines lanières.

3 Mettre le cabillaud dans une terrine, ajouter le paprika et bien mélanger.

4 Chauffer l'huile dans un grand wok préchauffé.

5 Faire revenir l'oignon, les poivrons et les épis de maïs 5 minutes.

6 Ajouter le cabillaud et la mangue, et faire revenir 2 à 3 minutes, jusqu'à ce que le poisson soit tendre.

7 Ajouter les germes de soja et bien mélanger.

8 Mélanger le ketchup, la sauce de soja, le xérès et la maïzena. Ajouter dans le wok et cuire en remuant de temps en temps jusqu'à ce que le jus épaississe.

9 Égoutter les nouilles soigneusement et en remplir 4 bols chauds. Dresser le sauté de cabillaud et de mangue dans chaque bol et servir immédiatement.

VARIANTE

Vous pouvez remplacer le cabillaud par un autre poisson blanc, comme la lotte ou l'églefin.

Nouilles japonaises aux légumes épicés

4 personnes

INGRÉDIENTS

450 g de nouilles japonaises fraîches	1 oignon rouge, émincé	350 g de chou blanc, émincé
1 cuil. à soupe d'huile de sésame	100 g de pois mange-tout	3 cuil. à soupe de sauce
1 cuil. à soupe de graines de sésame	175 g de carottes, coupées	au piment douce
1 cuil. à soupe d'huile de tournesol	en fines rondelles	2 oignons verts, émincés

1 Porter une grande casserole d'eau à ébullition, ajouter les nouilles japonaises et cuire 2 à 3 minutes. Bien égoutter.

2 Mélanger les nouilles à l'huile de sésame et aux graines de sésame.

3 Chauffer l'huile de tournesol dans un grand wok préchauffé.

4 Faire revenir l'oignon, les pois mange-tout, les carottes et le chou 5 minutes.

5 Ajouter la sauce au piment douce et cuire encore 2 minutes en remuant de temps en temps.

6 Ajouter les nouilles au sésame, bien mélanger et chauffer 2 à 3 minutes.

7 Transférer les nouilles japonaises et les légumes épicés dans des bols chauds, garnir de rondelles d'oignon vert et servir immédiatement.

CONSEIL

Vous pouvez aussi utiliser des nouilles de riz sèches ou de fines nouilles aux œufs.

Nouilles de riz sautées aux haricots verts et à la sauce à la noix de coco

4 personnes

INGRÉDIENTS

275 g de nouilles de riz plates

3 cuil. à soupe d'huile d'arachide

2 gousses d'ail, hachées

225 g de haricots verts, coupés en tronçons

2 échalotes, émincées

100 g de tomates cerises, coupées en deux

1 cuil. à café de piment en flocons

150 ml de lait de coco

4 cuil. à soupe de beurre de cacahuètes aux éclats de cacahuètes

1 cuil. à soupe de concentré de tomates

oignons verts émincés, en garniture

1 Mettre les nouilles de riz dans une grande terrine, les recouvrir d'eau bouillante et laisser tremper 10 minutes.

2 Chauffer l'huile d'arachide dans un grand wok préchauffé.

3 Faire revenir l'ail et les échalotes 1 minute.

4 Égoutter les nouilles de riz soigneusement.

5 Ajouter les haricots verts et les nouilles égouttées dans le wok et faire revenir 5 minutes

6 Ajouter les tomates cerises et bien mélanger.

7 Mélanger les flocons de piment, le beurre de cacahuètes, le lait de coco et le concentré de tomates.

8 Verser le mélange pimenté sur les nouilles, bien remuer et chauffer.

9 Disposer sur des assiettes chaudes, garnir de rondelles d'oignon vert et servir immédiatement.

VARIANTE

Pour un repas plus substantiel, ajoutez des tranches de poulet ou de bœuf et faites revenir avec les haricots et les nouilles à l'étape 5.

Salade de nouilles à la mangue

4 personnes

INGRÉDIENTS

250 g de nouilles fines aux œufs	1 poivron rouge, épépiné et coupé	25 g de cacahuètes salées, concassées
2 cuil. à soupe d'huile d'arachide	en lanières	100 ml de lait de coco
4 échalotes, émincées	1 poivron vert, épépiné et coupé	4 cuil. à soupe de beurre
2 gousses d'ail, hachées	en lanières	de cacahuètes
1 piment rouge, épépiné et émincé	1 mangue mure, coupée en lanières	1 cuil. à soupe de concentré de tomates

1 Mettre les nouilles dans une grande terrine, les recouvrir d'eau bouillante et laisser reposer 10 minutes.

2 Chauffer l'huile dans un grand wok préchauffé.

3 Faire revenir l'ail, les échalotes, le piment et les lanières de poivron 2 à 3 minutes.

4 Égoutter les nouilles soigneusement.

5 Ajouter les nouilles et les tranches de mangue dans le wok et chauffer 2 minutes en remuant.

6 Disposer la salade de nouilles à la mangue sur des assiettes chaudes et parsemer de morceaux de cacahuètes.

7 Mélanger le beurre de cacahuètes, le lait de coco et le concentré de tomates et déposer le mélange sur la salade de nouilles comme une sauce. Servir immédiatement.

CONSEIL

Vous pouvez aussi chauffer la sauce aux cacahuètes à feu doux avant de la verser.

Riz sauté aux œufs

4 personnes

INGRÉDIENTS

150 g de riz long grain

3 œufs, battus

2 cuil. à soupe d'huile

2 gousses d'ail, hachées

4 oignons verts, émincés

125 g de petits pois, cuits

1 cuil. à soupe de sauce
   de soja claire

1 pincée de sel

lanières d'oignons verts,
   en garniture

1 Cuire le riz
à l'eau bouillante
10 à 12 minutes, jusqu'à
ce qu'il soit cuit, mais
toujours ferme sous
la dent. Égoutter, rincer
à l'eau courante et égoutter
de nouveau.

2 Dans un fait-tout,
cuire les œufs battus
à feu doux en remuant.

3 Chauffer l'huile dans
un wok préchauffé.
Ajouter l'ail, les oignons
verts et les petits pois,
et cuire 1 à 2 minutes
en remuant souvent.

4 Incorporer le riz à la
préparation et mélanger.

5 Ajouter les œufs,
la sauce de soja et une
pincée de sel, et remuer
pour bien incorporer l'œuf.

6 Répartir le riz dans des
bols, garnir de lanières
d'oignon vert et servir.

CONSEIL

*Rincez le riz
à l'eau courante
pour éliminer l'amidon
et l'empêcher de coller.*

VARIANTE

*Vous pouvez
ajouter des crevettes,
du jambon ou du poulet
à l'étape 3.*

Riz sauté au porc

4 personnes

INGRÉDIENTS

150 g de riz long grain

3 cuil. à soupe d'huile d'arachide

1 gros oignon, coupé en huit

225 g de filet de porc, coupé en fines lanières

2 gousses d'ail, hachées

2 champignons de couche, émincés

1 cuil. à soupe de sauce de soja claire

1 cuil. à café de sucre roux

60 g de petits pois, cuits

2 tomates pelées, épépinées et concassées

2 œufs, battus

1 Cuire le riz 15 minutes à l'eau bouillante, jusqu'à ce qu'il soit juste tendre. Bien égoutter, rincer à l'eau courante et égoutter de nouveau.

2 Chauffer l'huile dans un wok préchauffé. Ajouter l'oignon et les lanières de porc, et cuire 3 à 4 minutes, jusqu'à ce que la viande et l'oignon commencent à dorer.

3 Incorporer les champignons et l'ail, et faire revenir 1 minute.

4 Ajouter la sauce de soja et le sucre, et cuire encore 2 minutes.

5 Incorporer le riz, les tomates et les petits pois en mélangeant bien, retirer du wok et réserver dans un plat chaud.

6 Verser les œufs dans le wok et cuire 2 à 3 minutes, jusqu'à ce qu'ils commencent à prendre.

7 Remettre le riz au porc dans le wok, bien mélanger et servir.

CONSEIL

Vous pouvez cuire le riz à l'avance et le conserver au frais ou le congeler.

Riz sauté aux légumes

4 personnes

INGRÉDIENTS

125 g de riz long grain

3 cuil. à soupe d'huile d'arachide

2 gousses d'ail, hachées

1/2 cuil. à café de poudre
de cinq-épices

60 g de haricots verts

1 poivron vert, épépiné et haché

4 mini-épis de maïs, coupés
en rondelles

25 g de pousses de bambou,
hachées

60 g de petits pois, cuits

3 tomates, pelées, épépinées
et concassées

1 cuil. à café d'huile de sésame

1 Cuire le riz environ 15 minutes à l'eau bouillante. Bien égoutter, rincer à l'eau courante et égoutter de nouveau.

2 Chauffer l'huile d'arachide dans un wok préchauffé.

3 Ajouter l'ail et la poudre de cinq-épices, et faire revenir 30 secondes.

4 Ajouter les haricots verts, le poivron et le maïs, et faire revenir 2 minutes.

5 Incorporer les pousses de bambou, les tomates, les petits pois et le riz au mélange, et cuire encore 1 minute.

6 Arroser d'un filet d'huile de sésame, répartir dans des assiettes et servir immédiatement.

CONSEIL

Pour cette recette, vous pouvez choisir tout autre mélange de légumes. Veillez cependant à respecter les temps de cuisson de chacun d'eux.

VARIANTE

Vous pouvez également ajouter des noix de cajou légèrement grillées, à l'étape 5.

Riz sauté vert

4 personnes

INGRÉDIENTS

150 g de riz long grain	1 cuil. à café de gingembre frais	2 cuil. à café de sauce
2 cuil. à soupe d'huile	râpé	de soja claire
2 gousses d'ail, hachées	1 courgette, coupée en dés	2 cuil. à café de sucre roux
1 carotte, en julienne	225 g de jeunes épinards	

1 Cuire le riz environ 15 minutes à l'eau bouillante. Bien égoutter, rincer à l'eau courante et égoutter de nouveau.

2 Chauffer l'huile dans un wok préchauffé.

3 Ajouter l'ail haché et le gingembre râpé, et faire revenir 30 secondes.

4 Ajouter la carotte et les dés de courgette, et faire revenir 2 minutes.

5 Ajouter les épinards et cuire 1 minute jusqu'à ce qu'ils flétrissent.

6 Incorporer le riz, la sauce de soja et le sucre roux, et bien mélanger

7 Répartir le riz sauté vert dans des bols et servir.

CONSEIL

La sauce de soja claire a plus de goût que la noire. Plus sucrée, elle donne aux aliments une riche couleur rougeâtre.

VARIANTE

Vous pouvez remplacer les épinards par des bettes, qui donneront au plat une couleur plus claire.

Riz sauté spécial

4 personnes

INGRÉDIENTS

150 g de riz long grain

2 cuil. à soupe d'huile

2 œufs, battus

2 gousses d'ail, hachées

1 cuil. à café de gingembre frais râpé

3 oignons verts, émincés

75 g de petits pois, cuits

225 g de jambon, coupé en lanières

150 g de petites crevettes, décortiquées et cuites

150 g de germes de soja

2 cuil. à soupe de sauce de soja claire

1 Cuire le riz environ 15 minutes à l'eau bouillante. Bien égoutter, rincer à l'eau courante et égoutter de nouveau.

2 Chauffer 1 cuillerée à soupe d'huile dans un wok préchauffé. Ajouter les œufs battus et 1 cuillerée à café d'huile. Répartir les œufs dans le wok pour qu'ils forment une crêpe. Cuire jusqu'à ce que le dessous soit doré. Retourner la crêpe et cuire l'autre côté 1 minute. Retirer du wok et laisser refroidir.

3 Chauffer le reste d'huile dans le wok et faire revenir l'ail et le gingembre 30 secondes.

4 Ajouter les oignons verts, les petits pois, le soja, le jambon et les crevettes. Cuire 2 minutes.

5 Incorporer la sauce de soja et le riz, et cuire 2 minutes. Répartir dans des bols.

6 Rouler la crêpe, la couper en fines lanières et en garnir le riz. Servir.

CONSEIL

Comme cette recette contient de la viande et du poisson, elle est idéale servie avec un simple plat de légumes.

Ragoût de poulet au riz

4 personnes

INGRÉDIENTS

150 g de riz long grain
1 cuil. à soupe de xérès sec
2 cuil. à soupe de sauce
de soja claire
2 cuil. à soupe de sauce
de soja épaisse
2 cuil. à café de sucre roux

1 cuil. à café de sel
1 cuil. à café d'huile de sésame
900 g de poulet, sans la peau,
désossé et coupé en dés
850 ml de bouillon de poulet
2 champignons de couche, émincés
75 g de brocoli, en fleurettes

60 g de châtaignes d'eau,
coupées en deux
1 poivron jaune, coupé en lanières
4 cuil. à café de gingembre frais
râpé
brins de ciboulette, en garniture

1 Cuire le riz environ 15 minutes à l'eau bouillante. Bien égoutter, rincer à l'eau courante et égoutter de nouveau.

2 Mélanger le xérès, les sauces de soja claire et épaisse, le sucre roux, le sel et l'huile de sésame dans une terrine.

3 Ajouter le poulet dans la terrine en le retournant pour qu'il soit bien enrobé de sauce. Laisser mariner 30 minutes.

4 Porter le bouillon à ébullition dans un wok préchauffé.

5 Ajouter le poulet avec sa marinade, les champignons, le brocoli, les châtaignes d'eau, le poivron et le gingembre.

6 Incorporer le riz, réduire le feu, couvrir et cuire 25 à 30 minutes, jusqu'à ce que le poulet et les légumes soient bien cuits.

7 Répartir dans des assiettes, garnir de ciboulette et servir.

VARIANTE

Ce plat est aussi bon avec du bœuf ou du porc. Vous pouvez remplacer les champignons de couche par des champignons chinois séchés, à condition de les réhydrater avant de les ajouter.

Riz sauté au crabe

4 personnes

INGRÉDIENTS

150 g de riz long grain
2 cuil. à soupe d'huile d'arachide
125 g de chair de crabe blanche
en boîte, égouttée
1 poireau, émincé

150 g de germes de soja
2 œufs, battus
1 cuil. à soupe de sauce
de soja claire
1 cuil. à café d'huile de sésame

2 cuil. à café de jus de citron vert
rondelles de citron vert,
en garniture

1 Cuire le riz environ 15 minutes à l'eau bouillante salée. Égoutter, rincer à l'eau courante et égoutter de nouveau.

2 Chauffer l'huile d'arachide dans un wok préchauffé.

3 Ajouter le crabe, le poireau et les germes de soja et faire revenir 2 à 3 minutes. Retirer le mélange du wok à l'aide d'une écumoire et réserver.

4 Ajouter les œufs et cuire 2 à 3 minutes, en remuant de temps en temps, jusqu'à ce qu'ils commencent à prendre.

5 Incorporer le riz et la préparation au crabe aux œufs, dans le wok.

6 Ajouter la sauce de soja et le jus de citron vert. Cuire 1 minute en remuant pour bien mélanger, et arroser d'un filet d'huile de sésame.

7 Transférer le riz sauté au crabe dans un plat, garnir de rondelles de citron vert et servir immédiatement.

VARIANTE

Pour un plat exceptionnel, vous pouvez remplacer le crabe par du homard cuit.

Nouilles frites aux légumes

4 personnes

INGRÉDIENTS

350 g de nouilles de riz

2 cuil. à soupe d'huile d'arachide

3 gousses d'ail, hachées

1/2 cuil. à café d'anis étoilé
    en poudre

125 g de brocoli, en fleurette

1 carotte, en julienne

1 poivron vert, coupé en lanières

1 oignon, coupé en quatre
    et émincé

75 g de pousses de bambou

1 branche de céleri, émincée

1 cuil. à soupe de sauce de soja

150 ml de bouillon de légumes

huile, pour la friture

1 cuil. à café de maïzena

2 cuil. à café d'eau

1 Cuire les nouilles 1 à 2 minutes à l'eau bouillante, bien égoutter et rincer à l'eau courante. Laisser égoutter dans une passoire.

2 Chauffer l'huile dans un wok préchauffé jusqu'à ce qu'elle fume. Réduire le feu, ajouter l'ail, l'anis étoilé et faire revenir 30 secondes. Incorporer le reste des légumes et cuire 1 à 2 minutes.

3 Ajouter la sauce de soja et le bouillon, couvrir et cuire à feu doux 5 minutes.

4 Chauffer l'huile de friture à 180° C, un dé de pain doit y dorer en 30 secondes.

5 Façonner des galettes avec les nouilles et les faire frire, par fournée, en les retournant une fois, jusqu'à ce qu'elles soient croustillantes. Les égoutter sur du papier absorbant.

6 Mélanger la maïzena et l'eau pour obtenir une pâte et l'incorporer au wok. Porter à ébullition, cuire jusqu'à ce que la sauce ait épaissi et soit onctueuse.

7 Disposer les galettes sur un plat chaud, disposer les légumes au-dessus et servir.

CONSEIL

Assurez vous que les nouilles soient bien égouttées avant de les faire frire, car l'huile pourrait gicler.

Nouilles au poulet

4 personnes

INGRÉDIENTS

225 g de nouilles de riz

2 cuil. à soupe d'huile d'arachide

225 g de blanc de poulet,
   sans la peau et coupé en lanières

2 gousses d'ail, hachées

1 cuil. à café de gingembre frais
   râpé

1 cuil. à café de poudre
   de curry chinois

1 poivron rouge épépiné
   et finement émincé

75 g de pois mange-tout, coupés
   en lanières

1 cuil. à café d'huile de sésame

1 cuil. à soupe de sauce
   de soja claire

2 cuil. à café d'alcool de riz

2 cuil. à soupe de bouillon
   de poulet

1 cuil. à soupe de coriandre fraîche
   ciselée

1 Faire tremper les nouilles 4 minutes dans l'eau chaude. Bien égoutter et réserver.

2 Chauffer l'huile dans un wok préchauffé, et faire revenir les lanières de poulet 2 à 3 minutes.

3 Ajouter l'ail, la poudre de curry chinois, le gingembre, et faire revenir encore 30 secondes.

4 Ajouter le poivron et les pois mange-tout à la préparation et faire revenir 2 à 3 minutes.

5 Incorporer les nouilles, la sauce de soja, l'alcool de riz et le bouillon, bien mélanger et cuire 1 minute en remuant souvent.

6 Arroser d'un filet d'huile de sésame et parsemer de coriandre ciselée.

7 Répartir les nouilles dans des assiettes et servir.

VARIANTE

Pour cette recette, vous pouvez remplacer le poulet par du porc ou du canard, selon votre goût.

Nouilles au curry de crevettes

4 personnes

INGRÉDIENTS

225 g de nouilles de riz

4 cuil. à soupe d'huile

1 oignon, émincé

2 tranches de jambon blanc,
    coupé en lanières

2 cuil. à soupe de poudre
    de curry chinois

150 ml de fumet de poisson

225 g de crevettes crues,
    décortiquées

2 gousses d'ail, hachées

6 oignons verts, émincés

1 cuil. à soupe de sauce
    de soja claire

2 cuil. à soupe de sauce hoisin

1 cuil. à soupe de xérès sec

2 cuil. à café de jus de citron vert

ciboulette fraîche hachée,
    pour décorer

1 Cuire les nouilles 3 à 4 minutes dans une casserole d'eau bouillante. Égoutter, rincer à l'eau courante et égoutter de nouveau. Réserver.

2 Chauffer 2 cuillerées à soupe d'huile dans un wok préchauffé.

3 Ajouter le jambon et l'oignon et cuire 1 minute.

4 Ajouter la poudre de curry dans le wok et faire légèrement revenir 30 secondes.

5 Incorporer les nouilles et le bouillon dans le wok, et cuire 2 à 3 minutes. Retirer les nouilles du wok et réserver au chaud.

6 Chauffer le reste d'huile dans le wok, ajouter les crevettes, l'ail et l'oignon vert et faire revenir 1 minute.

7 Incorporer la sauce hoisin, la sauce de soja, le xérès et le jus de citron vert. Verser la sauce sur les nouilles, bien mélanger et garnir de ciboulette.

VARIANTE

Vous pouvez utiliser des crevettes cuites mais ajoutez-les à la dernière minute, elles ont besoin de très peu de temps pour réchauffer. Trop cuites, elles deviendraient caoutchouteuses.

Nouilles de Singapour

4 personnes

INGRÉDIENTS

225 g de nouilles aux œufs sèches
6 cuil. à soupe d'huile
4 œufs, battus
3 gousses d'ail, hachées
1 cuil. à café 1/2 de poudre
    de piment
175 g de germes de soja

225 g de blanc de poulet,
    coupé en lanières
1 poivron vert, épépiné
    et coupé en lanières
2 piments rouges frais, émincés
4 oignons verts, émincés
3 branches de céleri, émincées

25 g de châtaignes d'eau,
    coupées en quatre
300 g de crevettes, cuites
    et décortiquées
2 cuil. à café d'huile de sésame

1 Faire tremper les nouilles 4 minutes dans l'eau bouillante, jusqu'à ce qu'elles aient ramolli et laisser égoutter sur du papier absorbant.

2 Chauffer 2 cuillerées à soupe d'huile dans un wok préchauffé et cuire les œufs. Retirer du wok et réserver au chaud.

3 Verser le reste d'huile dans le wok. Ajouter l'ail et la poudre de piment, et cuire 30 secondes.

4 Ajouter le poulet et faire revenir 4 à 5 minutes, jusqu'à ce qu'il commence à dorer.

5 Incorporer le céleri, le poivron, l'oignon vert, les châtaignes d'eau et le piment, et cuire 8 minutes, jusqu'à ce que le poulet soit complètement cuit.

6 Incorporer les crevettes, les nouilles réservées et les germes de soja, et bien mélanger.

7 À l'aide d'une fourchette, émietter les œufs cuits et en parsemer les nouilles. Arroser d'huile de sésame et servir.

CONSEIL

Lorsque vous mélangez des ingrédients déjà cuits, les nouilles ou les œufs, à d'autres, assurez-vous qu'ils soient bien chauds et que tout soit à la même température.

Porc pimenté aux nouilles

4 personnes

INGRÉDIENTS

350 g de porc, haché
1 cuil. à soupe de sauce
    de soja claire
1 cuil. à soupe de xérès sec
350 g de nouilles aux œufs
2 cuil. à café d'huile de sésame
2 cuil. à soupe d'huile

2 gousses d'ail, hachées
2 cuil. à café de gingembre frais
    râpé
2 piments rouges frais, émincés
1 poivron rouge, épépiné
    et finement émincé
25 g de cacahuètes non salées

3 cuil. à soupe de beurre
    de cacahuètes
3 cuil. à soupe de sauce
    de soja épaisse
1 filet d'huile pimentée
300 ml de bouillon de porc

1 Mélanger dans une grande terrine le porc, la sauce de soja claire et le xérès. Couvrir et laisser mariner 30 minutes.

2 Cuire les nouilles 4 minutes dans un fait-tout d'eau bouillante. Bien égoutter, rincer à l'eau courante et égoutter de nouveau.

3 Mettre les nouilles dans une terrine, les arroser d'huile de sésame et bien mélanger.

4 Chauffer l'huile dans un wok préchauffé et faire revenir l'ail, le gingembre, les piments et le poivron 30 secondes.

5 Ajouter le porc avec sa marinade dans le wok et le saisir 1 minute.

6 Ajouter les cacahuètes, le beurre de cacahuètes, l'huile pimentée, la sauce de soja épaisse et le bouillon et cuire 2 à 3 minutes.

7 Incorporer les nouilles, mélanger et servir.

VARIANTE

Vous pouvez remplacer le porc par du poulet ou de l'agneau haché.

Poulet sur lit de nouilles croustillantes

4 personnes

INGRÉDIENTS

225 g de blanc de poulet,
 sans la peau, désossé
 et coupé en lanières
1 blanc d'œuf
5 cuil. à café de maïzena
225 g de fines nouilles aux œufs
300 ml d'huile

600 ml de bouillon de poulet
2 cuil. à soupe de xérès sec
2 cuil. à soupe de sauce d'huître
1 cuil. à soupe de sauce
 de soja claire
1 cuil. à soupe de sauce hoisin
2 cuil. à soupe d'eau

1 poivron rouge, épépiné
 et très finement haché
3 oignons verts, émincés

1 Mélanger dans une terrine le poulet, le blanc d'œuf et 2 cuillerées à café de maïzena. Laisser reposer 30 minutes.

2 Blanchir les nouilles 2 minutes à l'eau bouillante et les égoutter. Chauffer l'huile dans un wok préchauffé. Ajouter les nouilles en les répartissant bien dans le wok. Cuire à feu doux 5 minutes, jusqu'à ce que le dessous soit doré, retourner d'un seul coup et faire dorer l'autre côté. Retirer les nouilles du wok lorsqu'elles sont dorées et croustillantes, les disposer sur un plat de service et les réserver au chaud. Vider l'huile du wok.

3 Verser dans le wok 300 ml de bouillon, retirer du feu et incorporer le poulet en remuant bien. Remettre sur le feu et cuire 2 minutes. Égoutter et jeter le bouillon.

4 Essuyer le wok avec du papier absorbant et le remettre sur le feu. Ajouter le xérès, les sauces d'huître, de soja et hoisin, le poivron et le reste du bouillon, et porter à ébullition. Délayer le reste de maïzena dans l'eau et incorporer le mélange dans le wok. Remettre le poulet dans le wok et cuire à feu doux 2 minutes. Disposer le poulet sur les nouilles et parsemer d'oignons verts.

Nouilles à la sauce aux haricots jaune

4 personnes

INGRÉDIENTS

175 g de vermicelle chinois
1 cuil. à soupe d'huile d'arachide
1 poireau, émincé
2 gousses d'ail, hachées
450 g de poulet, haché

450 ml de bouillon de poulet
1 cuil. à café de sauce au piment
2 cuil. à soupe de sauce
aux haricots jaune
1 cuil. à café d'huile de sésame

4 cuil. à soupe de sauce
de soja claire
ciboulette hachée, en garniture

1 Mettre le vermicelle dans une terrine, le couvrir d'eau bouillante et laisser tremper 15 minutes. L'égoutter soigneusement et le découper à l'aide d'une paire de ciseaux de cuisine.

2 Chauffer l'huile dans un wok et faire revenir le poireau et l'ail 30 secondes.

3 Ajouter le poulet et faire revenir 4 à 5 minutes, jusqu'à ce qu'il soit bien cuit.

4 Mouiller la préparation avec le bouillon, ajouter la sauce au piment, la sauce aux haricots jaune et la sauce de soja, et cuire 3 à 4 minutes.

5 Incorporer l'huile de sésame et le vermicelle, et cuire 4 à 5 minutes, sans cesser de remuer pour bien mélanger.

6 Répartir le mélange dans des bols chauds, parsemer de ciboulette et servir.

CONSEIL

Vous trouverez du vermicelle chinois dans de nombreux supermarchés et dans les épiceries asiatiques.

Nouilles aux crevettes

4 personnes

INGRÉDIENTS

225 g de nouilles fines aux œufs
2 cuil. à soupe d'huile d'arachide
1 gousse d'ail, hachée
1 botte d'oignons verts,
    coupés en tronçons de 5 cm
2 cuil. à café de jus de citron

1/2 cuil. à café d'anis étoilé
    en poudre
24 grosses crevettes crues,
    décortiquées, avec la queue
2 cuil. à soupe de sauce
    de soja claire

rondelles de citron,
    en garniture

1 Cuire les nouilles à l'eau bouillante 2 minutes. Égoutter, rincer à l'eau courante et égoutter de nouveau. Réserver au chaud.

2 Chauffer l'huile d'arachide dans un wok préchauffé jusqu'à ce qu'elle soit très chaude.

3 Ajouter l'ail et l'anis étoilé, et faire revenir 30 secondes.

4 Incorporer les oignons verts et les crevettes.

Faire revenir 2 à 3 minutes. Incorporer la sauce de soja, le jus de citron et les nouilles. Cuire 1 minute en remuant.

5 Répartir les nouilles dans des bols, garnir de rondelles de citron et servir.

VARIANTE

Ce plat aura autant de goût si vous utilisez des petites crevettes, mais sera moins appétissant.

CONSEIL

Les nouilles chinoises sont préparées à base de farine de froment ou de riz, d'eau et d'œuf. Les nouilles sont symbole de longévité et sont toujours servies pour les fêtes d'anniversaire. On dit que les couper porte malheur.

Bœuf chow mein

4 personnes

INGRÉDIENTS

450 g de nouilles aux œufs
4 cuil. à soupe d'huile d'arachide
450 g de bifteck maigre,
    coupé en fines lanières
2 gousses d'ail, hachées
1 poivron vert, finement émincé

1 cuil. à café de gingembre frais
    râpé
1 carotte, coupée en fines rondelles
2 branches de céleri, émincées
8 oignons verts
1 cuil. à café de sucre roux

1 cuil. à soupe de xérès sec
2 cuil. à soupe de sauce
    de soja épaisse
quelques gouttes de sauce
    au piment

1 Cuire les nouilles 4 à 5 minutes à l'eau bouillante salée. Égoutter, rincer à l'eau courante et égoutter de nouveau.

2 Arroser les nouilles avec 1 cuillerée à soupe d'huile et bien mélanger.

3 Chauffer le reste d'huile dans un wok. Ajouter le bœuf et cuire 3 à 4 minutes, en remuant.

4 Ajouter le gingembre et l'ail à la viande et faire revenir 30 secondes.

5 Ajouter le poivron, la carotte, le céleri et les oignons verts et faire revenir 2 minutes.

6 Ajouter le sucre roux, le xérès, la sauce de soja et la sauce au piment, et cuire 1 minute sans cesser de remuer.

7 Incorporer les nouilles, bien mélanger et faire bien réchauffer.

8 Répartir les nouilles dans des bols chauds et servir.

VARIANTE

Pour d'autres couleurs et saveurs, utilisez d'autres légumes dans cette recette – par exemple du brocoli, des poivrons rouges, des haricots verts ou des épis de maïs.

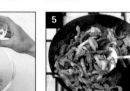

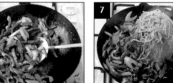

Nouilles sautées à la cantonaise

4 personnes

INGRÉDIENTS

350 g de nouilles aux œufs
3 cuil. à soupe d'huile
675 g de bifteck maigre,
coupé en fines lanières
125 g de chou vert, émincé
75 g de pousses de bambou

6 oignons verts, émincés
25 g de haricots verts,
coupés en deux
1 cuil. à soupe de sauce
de soja épaisse
1 cuil. à soupe de xérès sec

2 cuil. à soupe de bouillon
de bœuf
1 cuil. à soupe de sucre roux
2 cuil. à soupe de persil ciselé,
en garniture

1 Cuire les nouilles 2 à 3 minutes à l'eau bouillante. Égoutter, rincer à l'eau courante et égoutter de nouveau soigneusement.

2 Chauffer 1 cuillerée à soupe d'huile dans un wok préchauffé. Bien la répartir sur le fond pour qu'elle soit très chaude.

3 Ajouter les nouilles et cuire 1 à 2 minutes. Égoutter et réserver.

4 Chauffer le reste d'huile dans le wok, ajouter le bœuf et faire revenir 2 à 3 minutes.

5 Ajouter le chou, les pousses de bambou, les oignons verts et les haricots, et faire revenir 1 à 2 minutes.

6 Incorporer la sauce de soja, le bouillon, le xérès et le sucre roux et bien mélanger.

7 Ajouter les nouilles à la viande et aux légumes et bien mélanger.

8 Remplir des bols, garnir de persil ciselé et servir.

VARIANTE

Vous pouvez utiliser du porc maigre, ou du poulet à la place du bifteck. Pensez à modifier le bouillon en conséquence.

Nouilles au porc
et aux champignons

4 personnes

INGRÉDIENTS

450 g de fines nouilles aux œufs

2 cuil. à soupe d'huile d'arachide

350 g de filet de porc,
 coupé en tranches

2 gousses d'ail, hachées

1 oignon, coupé en huit

225 g de pleurotes

4 tomates pelées, épépinées
 et coupées en fines rondelles

50 ml de bouillon de porc

2 cuil. à soupe de sauce
 de soja claire

1 cuil. à soupe de coriandre fraîche
 ciselée

1 Cuire les nouilles
2 à 3 minutes à l'eau
bouillante. Égoutter, rincer
et égoutter de nouveau.

2 Chauffer 1 cuillerée
à soupe d'huile
dans un wok préchauffé.

3 Ajouter les nouilles
et les faire revenir
2 minutes.

4 Retirer les nouilles
à l'aide d'une écumoire,
bien égoutter et réserver.

5 Chauffer le reste
d'huile d'arachide dans
le wok, ajouter les tranches
de porc et les faire revenir
4 à 5 minutes.

6 Ajouter l'ail haché
et l'oignon,
et faire revenir encore
2 à 3 minutes.

7 Ajouter les pleurotes,
les tomates, la sauce
de soja, le bouillon
et les nouilles, mélanger
et cuire 1 à 2 minutes.

8 Parsemer de coriandre
et servir.

CONSEIL

*Pour des nouilles plus
croustillantes, ajoutez
2 cuillerées à soupe d'huile
et faites frire les nouilles
5 à 6 minutes en les étalant
au fond du wok et en
les retournant à mi-cuisson.*

Nouilles sautées à l'agneau

4 personnes

INGRÉDIENTS

150 g de vermicelle de riz
2 cuil. à soupe d'huile d'arachide
450 g d'agneau maigre,
  coupé en fines tranches

2 gousses d'ail, hachées
2 poireaux, émincés
3 cuil. à soupe de sauce
  de soja épaisse

250 ml de bouillon d'agneau
1 filet de sauce au piment
lanières de piment rouge,
  en garniture

1 Cuire le vermicelle 1 minute à l'eau bouillante. Égoutter, mettre dans une passoire, rincer à l'eau courante et égoutter de nouveau.

2 Chauffer l'huile d'arachide dans un wok préchauffé, ajouter l'agneau et le faire revenir 2 minutes.

3 Ajouter l'ail et le poireau et cuire 2 minutes.

4 Incorporer la sauce de soja, le bouillon et la sauce au piment, et cuire 3 à 4 minutes en remuant, jusqu'à ce que la viande soit cuite.

5 Ajouter le vermicelle et réchauffer 1 minute en remuant. Garnir de piment rouge et servir.

CONSEIL

Vous pouvez acheter du vermicelle chinois dans les épiceries asiatiques. À défaut, remplacez-le par des nouilles aux œufs et faites-les cuire selon les instructions figurant sur le paquet.

CONSEIL

La sauce au piment est très épicée, elle est composée de piments, de vinaigre, de sucre et de sel, et doit être utilisée avec parcimonie. Vous pouvez la remplacer par du Tabasco.

Vermicelle de riz aux crevettes

4 personnes

INGRÉDIENTS

175 g de vermicelle de riz	1 poivron rouge, épépiné	jus d'une orange
1 cuil. à soupe d'huile	et finement émincé	2 cuil. à café de vinaigre de vin
1 gousse d'ail, hachée	1 poivron vert, épépiné	1 pincée de sucre roux
2 cuil. à café de gingembre frais	et finement émincé	150 ml de fumet de poisson
râpé	1 oignon, émincé	1 cuil. à soupe de maïzena
24 crevettes tigrées crues,	2 cuil. à soupe de sauce	2 cuil. à café d'eau
décortiquées et déveinées	de soja claire	rondelles d'orange, en garniture

1 Cuire les nouilles 1 minute à l'eau bouillante. Égoutter, rincer à l'eau courante et égoutter de nouveau.

2 Chauffer l'huile dans un wok et cuire l'ail et le gingembre 30 secondes.

3 Ajouter les crevettes et faire revenir 2 minutes. Retirer à l'aide d'une écumoire et réserver au chaud.

4 Ajouter les poivrons et l'oignon, et faire revenir 2 minutes. Incorporer la sauce de soja, le jus d'orange, le vinaigre, le sucre roux et le fumet de poisson.

5 Remettre les crevettes dans le wok et cuire 8 à 10 minutes, jusqu'à ce qu'elles soient cuites.

6 Délayer la maïzena dans l'eau et incorporer la pâte obtenue dans le wok. Porter à ébullition, ajouter les nouilles et cuire 1 à 2 minutes. Garnir et servir immédiatement.

VARIANTE

Remplacez l'orange par du citron vert ou du citron. Dans ce cas, utilisez 3 à 5 cuillerées à café de jus.

Desserts & friandises

Les desserts sont peu consommés dans les foyers asiatiques
et les recettes suivantes sont des adaptations de plats
impériaux ou reprennent des méthodes de cuisson
et des ingrédients asiatiques pour la préparation
de desserts qui clôtureront de belle manière
n'importe quel repas.

Les Asiatiques n'ont pas l'habitude de manger de dessert
en fin de repas, sauf au cours des banquets
ou dans les occasions particulières. Les mets sucrés
sont généralement servis entre deux plats, comme
entremets, mais un fruit frais peut cependant
être considéré comme très rafraîchissant
à la fin d'un repas copieux.

Le riz est cuit avec des fruits, les litchis sont relevés
de gingembre et servis accompagnés de sorbet à l'orange
et les carrés de pâte à wonton sont fourrés
d'une délicieuse farce aux dattes et nappés de miel,
pour ne décrire que quelques-uns des appétissants mets
présentés dans le chapitre qui suit.

Wontons aux fruits

4 personnes

INGRÉDIENTS

12 carrés de pâte à wonton
2 cuil. à café de maïzena
6 cuil. à café d'eau
huile, pour la friture
2 cuil. à soupe de miel liquide

assortiment de fruits frais,
coupés en tranches (kiwis,
citrons, oranges, mangues,
et pommes),
en accompagnement

GARNITURE
175 g de dattes sèches,
dénoyautées et émincées
2 cuil. à café de sucre roux
1/2 cuil. à café de cannelle en poudre

1 Pour la garniture, mélanger les dattes, le sucre et la cannelle dans une jatte.

2 Étaler les carrés de pâte à wonton sur une planche à découper ou un plan de travail et disposer au centre de chacun une cuillerée de farce.

3 Délayer la maïzena dans l'eau et badigeonner le bord des carrés de pâte avec le mélange.

4 Refermer les carrés de pâte en scellant bien les bords pour former de petits paquets.

5 Chauffer l'huile de friture dans un wok à 180 °C, un dé de pain doit y dorer en 30 secondes. Faire frire les wontons, en plusieurs fournées, 2 à 3 minutes, jusqu'à ce qu'ils soient dorés.

6 Retirer les wontons à l'aide d'une écumoire et les égoutter sur du papier absorbant.

7 Verser le miel dans une jatte et le liquéfier, si nécessaire, en le plaçant au bain-marie. Arroser les wontons de miel et servir avec des fruits frais.

Chaussons à la banane

4 personnes

INGRÉDIENTS

PÂTE
450 g de farine
60 g de saindoux
    ou de matière grasse végétale
60 g de beurre doux
125 ml d'eau

GARNITURE
2 grossès bananes
75 g d'abricots secs,
    finement hachés
1 pincée de noix muscade
jus d'orange

1 jaune d'œuf, battu
sucre glace, pour saupoudrer
crème ou glace,
    en accompagnement

1 Tamiser la farine dans une grande jatte, ajouter le saindoux et le beurre, et incorporer la farine du bout des doigts, jusqu'à obtention d'une consistance de chapelure. Incorporer petit à petit l'eau pour obtenir une pâte molle, envelopper de film alimentaire et réserver au réfrigérateur 30 minutes.

2 Dans une jatte, réduire les bananes en purée à l'aide d'une fourchette et incorporer les abricots, la noix muscade et le jus d'orange. Bien mélanger.

3 Abaisser la pâte sur une surface légèrement farinée et découper 16 ronds de 10 cm de diamètre.

4 Placer une cuillerée de garniture à la banane sur la moitié de chaque rond et replier la pâte par-dessus pour former des demi-cercles. Pincer les bords et souder en appuyant avec les dents d'une fourchette.

5 Mettre les chaussons sur une plaque à pâtisserie antiadhésive et les dorer à l'œuf battu.

6 Pratiquer une petite incision dans chaque chausson et cuire au four préchauffé, à 180 °C (th. 6), 25 minutes, jusqu'à ce qu'ils soient dorés.

7 Saupoudrer les chaussons de sucre glace et servir accompagnés de crème ou de glace.

Boulettes de mangue

4 personnes

INGRÉDIENTS

PÂTE

2 cuil. à café de levure chimique

1 cuil. à soupe de sucre

150 ml d'eau

150 ml de lait

400 g de farine

FARCE ET SAUCE

1 petite mangue

4 cuil. à soupe de jus d'orange

100 g de litchis en boîte, égouttés

1 cuil. à soupe d'amandes

en poudre

cannelle en poudre, pour décorer

1 Pour la pâte, mettre la levure et le sucre dans un grande jatte et mélanger l'eau et le lait. Verser sur le mélange précédent et bien remuer. Ajouter petit à petit la farine pour obtenir une pâte molle et réserver au chaud environ 1 heure.

2 Pour la farce, éplucher la mangue et détacher la chair du noyau. Couper la chair et en réserver la moitié.

3 Émincer les litchis et les ajouter à la moitié de la mangue

avec les amandes. Laisser reposer 20 minutes.

4 Pour la sauce, mélanger la mangue réservée et le jus d'orange dans un robot de cuisine et mixer jusqu'à obtention d'une purée homogène. Passer la purée obtenue au chinois pour obtenir une sauce lisse.

5 Diviser la pâte en 16 portions régulières. Abaisser chaque morceau sur une surface légèrement farinée en un rond de 7,5 cm de diamètre.

6 Disposer un peu de farce au centre de chaque cercle et replier la pâte par-dessus pour former un demi-cercle. Pincer les bords pour les sceller solidement.

7 Poser les boulettes sur une assiette résistant à la chaleur, mettre au bain-marie, couvrir et cuire à la vapeur 20 à 25 minutes, pour qu'elles soient cuites.

8 Retirer du bain-marie, les saupoudrer d'un peu de cannelle et servir avec la sauce à la mangue.

Riz sucré

4 personnes

INGRÉDIENTS

175 g de riz
25 g de beurre doux
1 cuil. à soupe de sucre
8 dattes séchées, dénoyautées
   et émincées
1 cuil. à soupe de raisins secs
5 morceaux d'angélique, émincés

5 cerises confites, coupées
   en deux
5 cerneaux de noix
125 g de purée de marrons
   en boîte

SIROP
150 ml d'eau
2 cuil. à soupe de jus d'orange
4 cuil. à café 1/2 de sucre roux
1 cuil. à café 1/2 de maïzena
1 cuil. à soupe d'eau

1 Mettre le riz dans une casserole, couvrir d'eau froide et porter à ébullition. Réduire le feu, couvrir et cuire 15 minutes, jusqu'à absorption de l'eau. Ajouter le beurre et le sucre et graisser un moule à pudding de 600 ml. Chemiser le fond et les bords d'une fine couche de riz en tassant avec le dos d'une cuillère.

2 Mélanger les dattes, les raisins secs, les cerises, l'angélique et les noix, et incorporer au riz du moule.

3 Étaler une couche plus épaisse de riz dans le fond du moule, et remplir le centre avec la purée de marrons. Recouvrir avec le reste de riz en pressant bien pour enfermer la purée. Couvrir le moule de papiers sulfurisé et d'aluminium et les fixer à l'aide de ficelle de cuisine. Le mettre dans un cuiseur à vapeur ou le poser dans une casserole remplie à moitié d'eau chaude. Couvrir, cuire à la vapeur 45 minutes, et laisser reposer 10 minutes.

4 Chauffer doucement l'eau et le jus d'orange dans une casserole. Ajouter le sucre roux et remuer pour faire fondre le sucre. Porter le sirop à ébullition. Délayer la maïzena dans l'eau froide pour former une pâte lisse, la verser dans le sirop bouillant et cuire 1 minute, pour qu'il soit épais et onctueux.

5 Démouler le gâteau de riz sur un plat. Arroser de sirop, couper en tranches et servir.

Gâteaux de riz au miel

4 personnes

INGRÉDIENTS

300 g de riz rond
2 cuil. à soupe de miel liquide,
    un peu plus en garniture
15 abricots secs, hachés

1 bonne pincée de cannelle
    en poudre
3 morceaux de gingembre confit,
    égouttés et hachés

8 abricots secs entiers,
    en décoration

1 Mettre le riz dans une casserole et le couvrir d'eau froide. Porter à ébullition, réduire le feu, couvrir et cuire 15 minutes, jusqu'à absorption complète de l'eau.

2 Incorporer au riz le miel et la cannelle.

3 Beurrer 4 ramequins d'une contenance de 150 ml.

4 Mixer les abricots secs et le gingembre dans un robot de cuisine jusqu'à obtention d'une pâte.

Diviser la pâte en 4 portions égales et l'abaisser en lui donnant la forme des ramequins.

5 Répartir la moitié du riz dans le fond des ramequins et recouvrir de galettes de pâte d'abricot.

6 Couvrir la pâte d'abricot avec le reste du riz. Recouvrir les ramequins de papier sulfurisé ou de papier d'aluminium et faire étuver dans un cuiseur à vapeur ou au bain-marie 30 minutes.

7 Sortir les ramequins et réserver 5 minutes.

8 Démouler sur des assiettes à dessert chaudes et arroser d'un filet de miel. Décorer avec les abricots secs et servir.

CONSEIL

Laissez refroidir les gâteaux de riz au réfrigérateur. Retournez-les et servez-les avec de la glace ou de la crème.

Mousse de mangues

4 personnes

INGRÉDIENTS

400 g de mangues au sirop
en boîte

2 morceaux de gingembre confit
en boîte, émincés

200 ml de crème fraîche épaisse

20 g de gélatine en poudre

2 cuil. à soupe d'eau chaude

2 blancs d'œufs

1 cuil. à soupe 1/2 de sucre roux

gingembre confit en boîte
et zeste de citron vert,
en décoration

1 Égoutter les mangues en réservant le sirop, et mixer 30 secondes avec le gingembre, jusqu'à obtention d'une pâte lisse.

2 Mettre dans une jatte et ajouter du sirop de mangue de façon à obtenir 300 ml en tout.

3 Dans une autre jatte, fouetter la crème jusqu'à ce qu'elle soit bien ferme. Incorporer la purée de mangues et mélanger.

4 Dissoudre la gélatine dans l'eau chaude

et laisser tiédir. Verser petit à petit la gélatine dans la crème à la mangue en remuant bien. Laisser refroidir au réfrigérateur 30 minutes, jusqu'à ce que la crème soit presque complètement prise.

5 Battre les blancs d'œufs en neige ferme dans une jatte, et ajouter le sucre. Incorporer délicatement à la crème à la mangue à l'aide d'une cuillère en métal.

6 Répartir la mousse dans des coupes

individuelles, décorer de gingembre confit et de zeste de citron vert et servir immédiatement.

CONSEIL

*Versez la gélatine
dans le mélange
à la mangue doucement
mais régulièrement,
afin d'éviter qu'elle
ne forme des grumeaux
au contact du froid.*

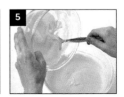

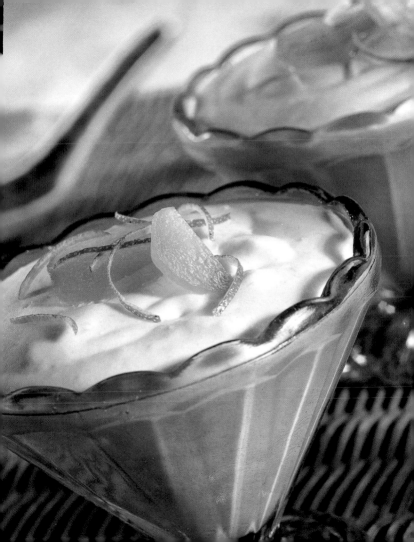

Poires pochées au poivre de la Jamaïque

4 personnes

INGRÉDIENTS

4 grosses poires mûres	2 cuil. à café de poivre	zestes d'orange,
300 ml de jus d'orange	de la Jamaïque moulu	pour décorer
60 g de raisins secs	2 cuil. à soupe de sucre roux	

1 À l'aide d'un économe ou d'un vide-pomme, retirer les trognons des poires, les éplucher et les couper en deux.

2 Placer les demi-poires dans une casserole.

3 Ajouter le jus d'orange, le poivre, les raisins secs et le sucre et chauffer doucement, jusqu'à ce que le sucre ait fondu. Porter à ébullition 1 minute.

4 Réduire le feu, laisser mijoter 10 minutes à feu doux, jusqu'à ce que les poires soient cuites mais encore un peu fermes – la cuisson peut être vérifiée avec la pointe d'un couteau.

5 À l'aide d'une écumoire, retirer les poires du sirop et les disposer dans des assiettes. Décorer et servir très chaud accompagné de sirop.

VARIANTE

Vous pouvez remplacer le poivre de la Jamaïque par de la cannelle et décorer le plat de bâtonnets de cannelle et de feuilles de menthe fraîches.

CONSEIL

Les Asiatiques mangent peu de desserts, sauf au cours des banquets ou dans des occasions particulières. Les mets sucrés sont souvent servis entre deux plats, comme entremets, mais un fruit frais peut être très rafraîchissant pour finir le repas.

Flans chinois

15 flans

INGRÉDIENTS

PÂTE	FLAN	crème,
175 g de farine	2 petits œufs	en accompagnement
3 cuil. à soupe de sucre	175 ml de lait	
60 g de beurre doux	60 g de sucre en poudre	
25 g de saindoux	1/2 cuil. à café de noix muscade	
2 cuil. à soupe d'eau	en poudre, un peu plus	
	pour saupoudrer	

1 Pour la pâte, tamiser la farine dans une jatte, ajouter le sucre et incorporer le beurre et le saindoux jusqu'à obtention d'une consistance de chapelure. Ajouter l'eau et pétrir pour obtenir une pâte ferme.

2 Poser la pâte sur une surface farinée et la pétrir 5 minutes jusqu'à ce qu'elle soit lisse. Couvrir de film alimentaire et réserver au réfrigérateur le temps de préparer la garniture.

3 Pour le flan, battre les œufs et le sucre, ajouter petit à petit le lait et la muscade en continuant de battre pour bien mélanger.

4 Diviser la pâte en 15 portions, les abaisser pour former des ronds et foncer de petits moules creux.

5 Verser le flanc dans les fonds de tartes et cuire à four préchauffé, 25 à 30 minutes, à 150° C (th. 5).

6 Poser les flans chinois sur une grille métallique, les laisser tiédir, et les saupoudrer de muscade. Servir chaud ou froid accompagné de crème.

CONSEIL

Préparez la pâte à l'avance, couvrez-la et réservez-la au réfrigérateur jusqu'au moment de l'utiliser.

Litchis et sorbet à l'orange

4 personnes

INGRÉDIENTS

SORBET

225 g de sucre en poudre

425 ml d'eau

350 g de mandarines au naturel
en boîte

2 cuil. à soupe de jus de citron

LITCHIS FOURRÉS

425 g de litchis en boîte, égouttés

60 g de gingembre confit en boîte,
égoutté et finement émincé

zeste de citron vert, découpé
en losanges, en décoration

1 Pour le sorbet, mettre le sucre et l'eau dans une casserole, et chauffer à feu doux en remuant jusqu'à ce que le sucre fonde. Porter à ébullition et laisser bouillir à feu vif 2 à 3 minutes.

2 Mixer les mandarines jusqu'à obtention d'une purée lisse. Passer au chinois, et ajouter le sirop de sucre et le jus de citron.

3 Laisser refroidir, verser le mélange dans une jatte en plastique et le congeler jusqu'à ce qu'il ait pris, en remuant souvent.

4 Égoutter les litchis sur du papier absorbant.

5 Placer les morceaux de gingembre au centre de chacun d'eux à l'aide d'une cuillère.

6 Disposer les litchis sur des assiettes. Servir accompagnés de sorbet à l'orange et décorés avec le zeste de citron vert.

CONSEIL

*Laissez refroidir le sorbet
10 minutes au réfrigérateur
avant de le déguster
afin qu'il ramollisse
et soit plus facile à servir.*

Beignets de bananes

4 personnes

INGRÉDIENTS

8 bananes moyennes	1 cuil. à soupe de maïzena	huile, pour la friture
2 cuil. à café de jus de citron	1/2 cuil. à café de cannelle	4 cuil. à soupe de sucre roux
75 g de farine	en poudre	crème ou glace,
75 g de farine de riz	250 ml d'eau	en accompagnement

1 Couper les bananes en tranches et les mettre dans une grande jatte.

2 Arroser de jus de citron pour éviter que les bananes noircissent.

3 Tamiser la farine, la farine de riz, la maïzena et la cannelle dans une jatte. Ajouter petit à petit l'eau en remuant pour obtenir une fine pâte à frire.

4 Chauffer l'huile dans un wok préchauffé jusqu'à ce qu'elle fume, et réduire légèrement le feu.

5 Piquer un morceau de banane sur une fourchette et le passer avec précaution dans la pâte à frire. Égoutter l'excédent et répéter l'opération.

6 Étaler le sucre roux dans une assiette.

7 Plonger les morceaux de bananes dans l'huile et les cuire 2 à 3 minutes, jusqu'à ce qu'ils dorent. Les retirer à l'aide d'une écumoire et les rouler dans le sucre. Disposer dans des bols et servir accompagnés de crème ou de glace.

CONSEIL

Vous trouverez de la farine de riz dans les épiceries asiatiques.

Index

Index